Biblioteca
Walter Riso

AMA Y NO SUFRAS

Cómo disfrutar plenamente de la vida en pareja

WALTER RISO

AMA Y NO SUFRAS

Cómo disfrutar plenamente de la vida en pareja

OCEANO

Diseño de portada: Leonel Sagahón / Jazbeck Gámez

AMA Y NO SUFRAS
Cómo disfrutar plenamente de la vida en pareja

© 2003, 2012, Walter Riso
c/o Guillermo Schavelzon & Asociados Agencia Literaria
www.schavelzon.com

D. R. © Editorial Océano de México, S.A. de C.V.
Blvd. Manuel Ávila Camacho 76, piso 10
Col. Lomas de Chapultepec
Miguel Hidalgo, C.P. 11000, México, D.F.
Tel. (55) 9178 5100 • info@oceano.com.mx

Para su comercialización exclusiva en México,
países de Centroamérica y del Caribe.

Segunda reimpresión en Océano: Octubre, 2012

ISBN: 978-607-400-666-7

Impreso en México / Printed in Mexico

Para Ulises,
que lo disfrutaría
de corazón.

Este amor
Tan violento
Tan frágil
Tan tierno
Tan desesperado
Este amor
Bello como el día
Y malo como el tiempo
Cuando hace mal tiempo
Este amor tan verdadero
Este amor tan hermoso
Tan feliz
Tan alegre
Y tan irrisorio
Temblando de miedo como un niño en la oscuridad

JACQUES PRÉVERT

Índice

Prólogo

Al escribir este prólogo le daré a la palabra el significado que nos brinda el *Diccionario de la lengua española*: "Discurso antepuesto al cuerpo de la obra en un libro de cualquier clase, para dar noticia al lector del fin de la misma obra o para hacerle cualquier otra advertencia".

Sin embargo, resulta ser que las palabras tienen un sentido. En este caso desearía que dicho sentido tuviera más importancia que el significado.

Las palabras de Walter Riso reunidas en el libro *Ama y no sufras* resuenan en mí de una manera especial. Hacen que a mi corazón y a mi memoria acudan viejos sentimientos, ideas una vez defendidas con el transcurso de los años, aunque ya casi olvidadas, y hace que se revivan conocimientos, aparezcan dudas y se reafirmen conceptos. Lo que Walter Riso dice en este libro resuena en mí como una voz nueva y antigua a la vez, en ocasiones diferente pero de todas maneras como una voz hermana. Sus palabras trajeron a mi memoria un episodio olvidado hasta ahora.

Todo había comenzado en un paseo de adolescentes. Llegamos en la madrugada más allá de los cerros que rodean la ciudad. Éramos un grupo bullicioso, escandaloso y alegre, que fingía seguridad y cinismo, aunque la mayoría nos encontrábamos angustiados por la apariencia de la ropa deportiva apenas estrenada, la capacidad para trepar o saltar obstáculos, y con el temor oculto de no lograr un "ligue" o el miedo a los comentarios posteriores a las conductas y logros alcanzados en el paseo. La maravillosa salida del sol, la frescura del aire, el estallido de la naturaleza alrededor en pleno esplendor, el fuego de la hoguera levantada, el avistar un oso (avistamiento que todavía no sabemos si fue real o imaginario) nos embargó en una sensación de bienestar y alegría para toda la jornada. Atrás quedaron las inseguridades y las dudas.

Eso fue así. Pero lo que, pensándolo ahora, contribuyó a producir la más cálida sensación del día fue la presencia de una pareja que había empezado a amarse desde hacía sólo un mes. Irradiaban algo físico, tierno, amable y cuidadoso: *eros*, *philia* y *ágape*, tal como se expresan en el texto que nos ocupa, palabras y significados que por ese entonces desconocíamos. No obstante, algo oscureció al final la luminosa jornada: la enamorada al despedirse irrumpió en llanto, en un verdadero mar de lágrimas salido desde dentro, veraz, pasional y contagioso. ¿Por qué el llanto? ¿Por qué el dolor? Ella respondió: "Esto es tan maravilloso que no puede durar, se acabará". La tranquilizamos como nos fue posible.

Sin embargo, pese a nuestros buenos augurios, después de un tiempo sus temores se hicieron realidad. Retornaron las lágrimas, se instaló el dolor, el rencor, la desilusión total. El amor había terminado, fue el "nunca más", el "maldita sea", la amargura. Paradójicamente la mujer había tenido razón, había muerto lo maravilloso, y la sorpresa, el deslumbramiento, la pasión y la novedad se habían ido para siempre.

De manera consciente o inconsciente concebimos el amor desde la perfección, lo creemos permanente y no admitimos que pueda transformarse.

Esta historia se hace doblemente triste cuando pensamos que ese afecto hubiera podido salvarse del desamor y crecer en sabiduría y madurez, si alguien hubiera podido transmitirles un mensaje más completo y realista sobre el amor, tal como lo hace *Ama y no sufras*.

El texto crea un espacio de reflexión acerca de las dimensiones básicas del amor, cómo experimentarlo y gozarlo, cómo hacerlo perdurable y afrontar el sufrimiento, si éste apareciera.

Pese a lo anterior, y conociendo lo vasto que es el campo del amor, sé que el autor no ha pretendido jamás agotar el tema en su texto. En su contenido, jugoso como lo es en su totalidad, hay un aspecto que a mi manera de ver tiene una enorme importancia para el lector, y es el abordaje de "los tres amores con que amamos": *eros*, *philia* y *ágape*, porque no sólo enseña y nos conduce a una versión sana del afecto, sino que finalmente nos permite aprender a "aprender el amor".

El libro está expresado de manera seria, rigurosa e ilustrada, sin concesiones a lo estrictamente literario, con quizás un involuntario aire poético, y, lo más importante, con claridad y sencillez, tan difícil de alcanzar, fruto de la sabiduría y el deseo genuino de comunicarse con los demás.

En buena hora nos llega este material que nos habla sobre el amor y su importancia, y sobre la posibilidad de no sufrir y aliviar el dolor del corazón.

Sea *Ama y no sufras* bienvenido y bien hallado.

DOCTORA CECILIA CARDINAL DE MARTÍN
Médica y educadora sexual

Introducción

Se sufre demasiado por amor, ésa es la verdad. Incluso los que se vanaglorian de estar perfectamente acoplados a su pareja, en lo más recóndito de su ser a veces albergan dudas, inseguridades o pequeños miedos anticipatorios respecto a su futuro afectivo. Nunca se sabe... ¿Quién no ha sufrido alguna vez por estar con la persona equivocada, por sentir un bajón en el deseo o simplemente por la caricia que nunca llegó? No hay nada más hipersensible que el amor, nada más arrebatador, nada más vital. Renunciar a él es vivir menos o no vivir.

El amor es múltiple. La experiencia afectiva está conformada por un conjunto de variables que se entrelazan de manera compleja. Sin lugar a dudas, sentir el amor es más fácil que explicarlo porque nadie nos ha educado para amar y ser amados, al menos de manera explícita. El afecto, en casi todas sus formas, nos embiste y trasciende. Se me dirá que el amor no es para "entenderlo" sino para sentirlo y disfrutarlo, y que el romanticismo no soporta ningún tipo de lógica: nada más erróneo. La actitud sentimentalista, además de ingenua, es peligrosa, ya que una de las principales causas del "mal de amores" nace precisamente de las creencias irracionales y poco realistas que hemos elaborado sobre el afecto a lo largo de nuestra vida. Las concepciones erróneas del amor son una de las principales fuentes de sufrimiento afectivo.

¿Racionalizar el amor?: así es, no demasiado, solamente lo necesario para no intoxicarnos. Amor deseado (principio del placer) y amor *pensado* (principio de realidad), lo uno y lo otro, razón y emoción en cantidades adecuadas. Al amor no sólo hay que degustarlo sino incorporarlo a nuestro sistema de creencias y valores. Se trata de incrementar el "cociente amoroso" y ligar el corazón a la mente de tal manera que podamos canalizar saludablemente el sentimiento. Dicho de otra forma: hay que ordenar y regular el amor para hacerlo más amigable y próximo a las neuronas. No hablo de restringirlo o cortarle las alas, sino de enseñarle a volar.

¿Qué queremos decir cuando hablamos de amor o cuando decimos que estamos enamorados? Utilizamos como sinónimos de amor un sinnúmero de palabras que no significan lo mismo: *pasión*, *ternura*, *amistad*, *erotismo*, *apego*, *enamoramiento*, *simpatía*, *afecto*, *compasión*, *deseo* y expresiones por el estilo. No hemos podido precisar qué es el amor ni unificar su terminología. Para algunos, amar es sentir pasión, para otros, amor y amistad son la misma cosa, y no pocos asocian el amor a la compasión o a la entrega total y desinteresada. Pero ¿quién tiene razón? ¿Los que defienden el sexo, los que prefieren el compañerismo o los que piensan que el verdadero amor es un hecho espiritual?

De acuerdo con filósofos como André Comte-Sponville y Jean Guitton, entre otros, pienso que el amor podría estudiarse mejor a partir de tres dimensiones básicas. Cuando estos elementos logran acoplarse de manera adecuada, decimos que estamos en presencia de un amor unificado y funcional. Con base en sus raíces griegas, los nombres que reciben estos tres amores son: *eros* (el amor que toma y se satisface), *philia* (el amor que comparte y se alegra) y *ágape* (el amor que da y se compadece).

Hace algunos años, en otra publicación, propuse una estructura tripartita similar del amor: amor tipo I (más emocional) referido al enamoramiento, tipo II (más cognitivo/racional) asociado al amor conyugal y tipo III (más biológico) relacionado con el amor maternal. Sin embargo, la nueva clasificación arriba propuesta es más completa y rica en conceptos, más aplicable a la vida práctica y más sustentada.

Un amor completo, sano y gratificante, que nos acerque más a la tranquilidad que al sufrimiento, requiere la unión ponderada de los tres factores mencionados: deseo (*eros*), amistad (*philia*) y ternura (*ágape*). La triple condición del amor que se renueva a sí mismo, una y otra vez, de manera inevitable.

Una pareja funcional no necesita tener sexo cinco veces al día (la calidad es mejor que la cantidad), estar de acuerdo en todo (las discrepancias leves reafirman la individualidad) o vivir en un eterno romance (mucha ternura empalaga). El amor inteligente es un menú que se activa según las necesidades: todo en su momento, a la medida y armoniosamente.

Aunque a lo largo del texto profundizaré en cada uno de los tres elementos mencionados, haré aquí un pequeño bosquejo conceptual para facilitar su lectura posterior.

Eros

Es deseo sexual, posesión, enamoramiento, amor pasional. Lo más importante es el yo que anhela, que apetece, que exige. La otra persona, el TÚ, no alcanza a ser sujeto. Es la faceta egoísta y concupiscente del amor: "Te quiero poseer", "Quiero que seas mía", "Te quiero para mí". *Eros* es conflictivo y dual por naturaleza, nos eleva al cielo y nos baja al infierno en un instante. Es el amor que duele, el que se relaciona con la locura y la incapacidad de controlarse. Pero no podemos prescindir de *eros*: el deseo es la energía vital de cualquier relación, ya sea como sexo puro o como erotismo. El *eros* bien llevado no sólo evoluciona hacia la *philia* de pareja (amistad con deseo), sino que también suele manifestarse de manera amable como dos egoísmos que se encuentran, se comparten y se disfrutan mientras hacen y deshacen el amor. *Eros* no alcanza por sí mismo a configurar un amor completo, porque siempre vive en la carencia, siempre le falta algo. Es la idea del amor de Platón.

Philia

Es la amistad, en nuestro caso "amistad de pareja", el llamado "amor conyugal" o la amistad marital. La *philia* trasciende el yo para integrar al otro como sujeto: YO y TÚ, aunque el YO sigue por delante. A pesar del avance, en *philia*, la benevolencia no es total porque la amistad todavía es una forma de amarse a sí mismo a través de los amigos. La emoción central no es el placer como deseo acaparador, sino la alegría de los que comparten: la reciprocidad, pasarla bien, estar tranquilos. *Philia* no requiere un acoplamiento total (nunca lo tenemos con nadie, ni siquiera con los mejores amigos), basta con que exista cierta complicidad de intereses, un esbozo de comunidad de dos en convivencia. Mientras *eros* decae y resucita de tanto en tanto, *philia* se profundiza con los años, si todo va bien. Pero de ninguna manera *philia* excluye a *eros*: lo serena, lo ubica en un contexto menos concupiscente, menos rapaz, pero no lo aniquila. En las relaciones más o menos estables hacemos más uso de *philia* que de *eros*, pero ambos son indispensables para conformar un vínculo estable. Cuando ataca *eros*, nos convertimos en seres libidinosos y desenfrenados, y somos cosa y sujeto a la vez: cosa, en tanto nos devoran, sujeto, en tanto devoramos. *Philia* y *eros* juntos: lujuria simpática y amena, hacer el amor con el mejor amigo o la mejor amiga. *Philia* es la amistad de Aristóteles y Cicerón, entre otros, llevada a la pareja.

Ágape

Es el amor desinteresado, la ternura, la delicadeza, la no violencia. No es el yo erótico que arrasa con todo, ni el yo y TÚ del amor amistoso, sino el amor de entrega: el TÚ puro y descarnado. Es la dimensión más limpia del amor, la benevolencia sin contaminaciones egoístas. Obviamente, no me estoy refiriendo a un amor irreal e idealizado, porque incluso *ágape* tiene condiciones. De lo que hablo es de la capacidad de renunciar a la propia fuerza para acoplarse a la debilidad de la persona amada. No se trata del placer erótico ni de la alegría amistosa, sino de pura compasión: el dolor que nos une al ser amado cuando sufre, cuando nos necesita o nos llama, es la disciplina del amor que no requiere esfuerzo. Aunque no necesariamente, *ágape* suele ser la última etapa en la evolución del amor, pero su aparición tampoco desplaza o suprime a sus dos antecesores: una vez más, los incluye y los completa. Como se verá a lo largo del texto, puede haber sexo agápico (*eros y ágape*) y amistad desinteresada (*philia y ágape*). En resumen: *ágape* es el amor de Jesús, Buda, Simone Weil y Jiddu Krishnamurti.

Entonces no hay *un* amor de pareja, hay al menos *tres* amores reunidos alrededor de dos personas, y la alteración de cualquiera de ellos hará que el equilibrio vital del afecto se pierda y el sufrimiento aflore. La alteración afectiva puede provenir de *eros* (por ejemplo, cuando sentimos que no somos deseados o que ya no deseamos a nuestra pareja), de *philia* (por ejemplo, cuando el aburrimiento se hace cada vez más patente y la alegría languidece), de *ágape* (por ejemplo, cuando la falta de respeto y el egoísmo comienzan a hacerse frecuentes) o de cualquier combinación de ellos que resulte disfuncional.

Algunas personas intentan resignarse a un amor inconcluso, pero tarde o temprano, el déficit termina por alterar la relación y la tranquilidad personal ¿Amor de pareja sin deseo? Lo dudo, o entonces es otra cosa. ¿Convivir con el enemigo? Insostenible. ¿Despreocuparse por el bienestar de la persona amada? Demasiado cruel.

Insisto: sólo en la presencia activa e interrelacionada del *deseo*, la *amistad* y la *compasión*, el amor se realiza. *El amor incompleto duele y enferma.*

Conozco gente que ha disociado los tres amores hasta configurar una especie de Frankenstein afectivo. *Eros*: una o dos veces por semana con el o la amante. *Philia*: en el hogar, junto a la esposa o el esposo. Y *ágape*: los domingos en misa. Cuanto más disgregados estén los componentes del amor, mayor será la sensación de vacío y desamor.

En otros casos, las necesidades y expectativas de los integrantes de la pareja no coinciden y los componentes del amor se pierden en una maraña de confusión y malos entendidos. Si no tenemos un esquema cognitivo (mental) para interpretar los hechos, será imposible resolverlos.

Adriana y Mario llevaban once años de casados. Su matrimonio había sido aparentemente satisfactorio, al menos ésa era la imagen que proyectaban ante la gente. Sin embargo, lentamente y de manera encubierta, el amor había comenzado a fragmentarse. Mario sentía que su vida sexual ya no era tan gratificante (necesitaba más frecuencia y mejor calidad) y Adriana se quejaba de soledad afectiva (necesitaba un compañero con quien compartir y comunicarse).

Ambos estaban atrapados en un círculo vicioso del cual no eran muy conscientes: ella no era capaz de abrirle las puertas a *eros*, sin el prerrequisito de la amistad de pareja, y él se negaba a cualquier aproximación amistosa (*philia*) sin *eros*. La trampa psicológica también se hacía extensiva a *ágape*, ya que al estar frustrados y dolidos por la carencia que sentían, ninguno se preocupaba por el bienestar del otro. En conclusión: ni *eros* ni *philia* ni *ágape*.

La solución no era fácil porque implicaba que ambos dejaran la obstinación a un lado y pensaran en el bienestar del otro, es decir, había que activar *ágape* para hacer que la sexualidad y la amistad pudieran encontrarse dentro y fuera de la cama. Más concretamente: Mario debía mejorar su *philia*, *independientemente* de que Adriana pusiera a funcionar su *eros*, y Adriana debía mejorar su *eros*, *independientemente* de que Mario se volviera más comunicativo y amistoso.

Como una canción de los años sesenta que decía: "Hay medio mundo esperando/con una flor en la mano/y la otra mitad del mundo/por esa flor esperando". El orgullo inmoviliza.

Sólo con ayuda profesional fueron capaces de reestructurar e integrar (equilibrar, armonizar) cada una de las dimensiones afectivas en su justa proporción. Para asegurar una relación satisfactoria y "antisufrimiento", Adriana y Mario tuvieron que aprender una nueva manera de procesar la información. Los objetivos terapéuticos fueron los siguientes:

- Identificar y reconocer cómo estaban agrupadas las dimensiones básicas del amor (*eros*, *philia* y *ágape*),
- cultivar cada una de ellas para que alcanzaran el nivel de satisfacción requerido por cada uno de ellos, e
- integrarlas de manera equilibrada y flexible para que pudieran manifestarse de manera oportuna.

Ambos aprendieron una nueva forma de leer e interpretar el amor, que les permitió a posteriori producir los cambios necesarios. Descubrieron que la experiencia afectiva tiene una narrativa particular que es posible traducir y asimilar a la vida de pareja sin tanto sufrimiento.

Ama y no sufras está dirigido a cualquier persona que desee avanzar en su proceso afectivo, ya sea para fortalecer aún más los aspectos positivos de su relación o para dejar de sufrir inútilmente por amor. El lector no encontrará recetas mágicas (no las hay y menos en el amor), sino la oportunidad de reflexionar sobre su vida afectiva y pensarse a sí mismo en relación con otros.

La propuesta básica es que si se enlazan los tres amores con que amamos en un esquema de amor unificado, *no sólo la capacidad de disfrute se incrementará notablemente, sino que el dolor psicológico tendrá menos cabida.*

El amor no tiene por qué producir sufrimiento si somos capaces de eliminar las creencias irracionales que la cultura ha inculcado en nosotros. Buda decía que la ignorancia es el origen de todo sufrimiento psicológico. De igual manera, un número considerable de pensadores y maestros espirituales ha llamado la atención sobre la importancia de pensar correctamente para no sentirse mal. ¿Somos ignorantes en el amor? Me atrevo a decir que sí. ¿Analfabetos emocionales? No creo, más bien disléxicos, malos lectores.

Ama y no sufras es un intento de ampliar lo que expuse en *¿Amar o depender?* No sólo se trata de amar sin apegos (una de las principales causas del dolor afectivo), lo cual es un logro importante, sino de acabar con todo tipo de sufrimiento inútil relacionado con el amor.

El texto contiene nueve capítulos distribuidos en tres partes: parte i: "*Eros*. El amor que duele" (donde se indaga la naturaleza desbordada del enamoramiento, el deseo, el erotismo y la patología de *eros*), parte II: "*Philia*. De la manía a la simpatía" (donde se analiza la amistad de pareja y cuáles son sus componentes) y parte III: "*Ágape*. De la simpatía a la compasión" (donde se examina el tema de la no violencia y la compasión afectiva).

Cada capítulo se completa con un apartado ("Para no sufrir") donde se relaciona de manera coloquial el contenido del capítulo con el sufrimiento afectivo y se dan sugerencias para, en lo posible, evitarlo.

Finalmente, el presente libro pretende ligar los aportes de diversas disciplinas, como la psicología, la antropología, la sociología y la filosofía, al estudio del amor, de una manera accesible para el lector y tratando de mantener el nivel científico y la profundidad que la temática requiere.

PRIMERA PARTE

EROS

El amor que duele

Todas las pasiones son buenas cuando uno es dueño de ellas,
y todas son malas cuando nos esclavizan.
ROUSSEAU

Todos los amantes son diestros en forjarse desdichas.
BALZAC

Todos sabemos lo que es estar bajo el influjo del enamoramiento, ese sentimiento apasionado y adictivo en el que nuestras facultades y capacidades parecen debilitarse. Lo sabemos porque el cuerpo lo registra todo. En cada recodo de la memoria emocional está grabado el más elemental de los suspiros, la "dulce manía" o la "divina locura" de la que hablaban los griegos, esa mezcla de dolor y placer en la que la complacencia parece justificar cualquier cuota de sufrimiento. Cómo olvidar aquella exacerbación de los sentidos, cómo no querer repetirla otra vez, sin aspavientos, resignadamente, como un cordero feliz.

Eros es ante todo un amor fluctuante, turbulento y contradictorio. "Amor que aparece floreciente y lleno de vida, mientras está en la abundancia, y después se extingue para volver a revivir", dice Platón.[1] *Eros* nace y muere de tiempo en tiempo, *eros* se reencarna, si todo va bien.

¿Amar y no sufrir? Difícil, si creemos demasiado en *eros*, si nos apegamos a él. "¿Por qué, doctor, por qué es usted tan negativo frente al amor que siento?", me decía una jovencita atormentada por un amor pasional mal correspondido. Mi respuesta no fue muy alentadora: "Porque no es amor, sino enamoramiento". El amor pasional es dual por naturaleza, llega y se va, es luz y sombra, afirma Octavio Paz.[2]

Eros es posesivo, dominante, concupiscente y, aun así, imprescindible. Un amor orientado principalmente a la autogratificación, pero a través del otro, porque la excitación ajena excita. Me deleito con tu placer, que es mío, que me pertenece. No se trata de amarte sino de ambicionarte, en el sentido de apetecerte, como un postre. Como el único postre, si prefieres y puedo.

Es verdad que el amor descentrado y maduro requiere *dos sujetos activos*, es decir, dos personas con voz y voto. Sin embargo, a veces renunciamos gustosos a tal privilegio y aceptamos de manera relajada y lúdica ser el "objeto del deseo" de la persona amada; después de todo, ¿qué importa, si es de común acuerdo? ¿Qué importa si por un rato jugamos a ser "cosa" (cosificación amorosa, claro está), para volver luego al amor benevolente, al querer democrático y amistoso?

El amor requiere dos, pero sin dejar de ser uno, aun en la fantasía.

La mujer tiene cincuenta y dos años y me comenta en cierto tono cómplice: "Yo sé que cuando él me pide que me ponga minifalda y le haga un *strip tease* me desea mucho más de lo que me ama. Sé que me convierto en un fetiche... Pero ¿sabe qué?, él también se convierte en uno para mí. Me encanta verlo excitado y saber que puedo seducirlo con desenvoltura y libertad, sin mojigatería. Me siento la exhibicionista más descarada del mundo... Y a él lo veo como mi dueño y señor por un rato, mi amo, mi amor... ¿Y qué?... Después volvemos a la realidad, felices y exhaustos... Él, voyeurista y yo, exhibicionista: ¿no le parece un buen acoplamiento?". Sin duda, sin comentarios.

El "amor pasional" se ha encontrado en casi todas la sociedades.[3] Por ejemplo, los egiptólogos hallaron 55 poemas de amor anónimos cuya fecha se remonta a 1300 a. C.[4] El siguiente poema descubierto en uno de esos pergaminos evidencia que la cuestión romántica no parece haber cambiado demasiado a lo largo de la historia:

> Su pelo lapislázuli brillante,
> sus brazos más espléndidos que el oro.
> Sus dedos me parecen pétalos,
> como los del loto.
> Sus flancos modelados como debe ser,
> sus piernas superan cualquier belleza.
> Su andar es noble
> (auténtico andar),
> mi corazón sería su esclavo si ella me abrazara.

Los egipcios conocieron muy bien a *eros*. Lo demuestran los términos utilizados por ellos para designar el amor: "deseo prolongado", "dulce trampa", "enfermedad que uno ansía".

Por su parte, los griegos se refirieron a *eros* como un "mal crónico", "deseo instintivo del placer", "apetito grosero", "delirio inspirado por los dioses", "manía profética", "desmesurado", "demonio", "dolencia fecunda", "grandísimo y engañoso amor", entre otras muchas expresiones.[5]

Un joven que asistía a mi consulta expresaba así su amor doloroso: "Me duele quererla, es como una maldita enfermedad... Nunca estoy tranquilo... Cuando la veo y la tengo a mi lado estoy feliz, pero hay como una espina clavada en alguna parte de mí que me recuerda que ella no soy yo... es otro ser... puede irse, dejarme de amar, morirse o simplemente cansarse... Siempre me falta algo, aun cuando la hago mía". Dolencia fecunda, dulce trampa o miedo posmoderno, el fenómeno es el mismo, duele igual. Aunque la *idea del amor* ha tenido modificaciones a lo largo de la historia, el *sentimiento* del "amor apasionado" no parece haber cambiado demasiado.

Sin perder de vista el realismo del día a día en el cual nos movemos, analizaré tres aspectos de *eros* que nos llevan a sufrir casi irremediablemente: su naturaleza desbordada, el deseo erótico y algunas características del *eros* patológico o enfermo.

1. La naturaleza desbordada de *eros*: el enamoramiento

Carlos era un hombre de treinta y cinco años, serio y circunspecto, que asistió a mi consulta debido a un déficit en sus habilidades sociales y un cuadro depresivo que había comenzado a manifestarse por la soledad afectiva en la que se encontraba. Su manera de ser, hosca y poco expresiva, le había impedido encontrar pareja. No se reía, no sabía contar ni disfrutar un chiste y se vestía de negro de pies a cabeza.

Al cabo de unas semanas, cuando apenas estábamos comenzando el proceso terapéutico, me pidió hacer un alto para tratar un tema que lo tenía bastante preocupado. Había conocido a una mujer que le gustaba y no sabía cómo iniciar el flirteo. Así que le hice algunas sugerencias sobre cómo abordar a su posible pareja. Contra todo pronóstico, veinte días más tarde fui testigo de lo que podría llamarse un caso de "mutación afectiva".

Ese día, Carlos llegó a mi consultorio totalmente transformado. Parecía otra persona, como si lo hubieran enchufado a una batería de cien mil voltios. No podía dejar de sonreír y su rostro, que antes parecía una esfinge de granito, mostraba ahora la expresión abierta y espontánea de la exaltación. Sus movimientos eran mucho más sueltos y su tradicional atuendo oscuro había sido reemplazado por unos jeans y una camisa a cuadros. Su mirada era más brillante, olía a loción y mostraba una locuacidad amable y contagiosa. "Ya está", me dijo con satisfacción, "me enamoré... Me enamoré". Y se quedó como petrificado, mirándome fijamente a los ojos, esperando una respuesta de mi parte, así que no tuve más remedio que felicitarlo sin saber con exactitud si mis congratulaciones eran justificadas o no. Entonces dio un salto hacia atrás y dijo: "Yo no pensé que existieran mujeres perfectas, pero sí las hay... ¡Y soy correspondido!... Me dijo que yo le gustaba... Sólo llevamos veinte días y siento que me pertenece desde siempre... ¿Usted no cree en las almas gemelas, en la predestinación?... Esto le va a parecer raro... Algo le pasó a mi sexualidad... Antes era como un témpano de hielo y actualmente me masturbo todos los días pensado en ella... La llevo aquí [señaló el corazón], aquí [señaló la cabeza] y aquí [señaló el bajo vientre]... [risa]... No me canso de verla, de hablar con ella... [risa]... ¿Será que estoy soñando? ¿Por qué no me pellizca? ¡Hágalo, por favor! ¡Pellízqueme!... [entonces lo pellizqué]... ¿Vio? ¿Se da cuenta?, es real, no es un sueño... Lo que no quiero es cansarla... Estoy pendiente de ella todo el día... Por ejemplo, estoy siempre listo para acompañarla a donde quiera ir... [risa]... ¿Usted qué cree? ¿Esto es amor, verdad?". Nunca más supe de él después de esa sesión.

La estructura psicológica del enamoramiento (tomaré como sinónimos *amor apasionado*, *amor obsesivo*, *deseo pasional* o *eros* propiamente dicho) parece mostrar ciertos rasgos universales que incluyen una mezcla de romanticismo crónico, euforia y desvelo[6] (de más está decir que Carlos los tenía todos). Veamos cada uno en detalle.

Idealización del ser amado. Se refiere a magnificar las cualidades de la persona amada a expensas de sus defectos, pasar por alto los errores o simplemente ser incapaz de criticar el objeto de adoración.[7] La ilusión de lo bello que genera este tipo de amor fue descrita por Stendhal[8] como la "cristalización del amor", un hermoso castillo en el aire detenido en el tiempo.

Exclusividad y fidelidad absoluta.[9] El enamorado no concibe la infidelidad en ninguna de sus formas, pero no por convicción o principios, sino por pura incapacidad biológica: la mente y el cuerpo están ocupados en su totalidad por la persona amada, no hay espacio disponible para nadie más. "Sólo soy mujer para él, sin él no soy nada", decía una mujer orgullosa de su adicción.

Sentimientos intensos de apego y de atracción sexual. Aunque la mayoría de las personas diferencian entre el gozo afectivo y el placer sexual, el enamoramiento los unifica de manera indiscriminada. Deseo y afecto se amalgaman y hacen que los individuos "enamorados" piensen que el amor y el sexo siempre van juntos.[10] Aunque los varones son más propensos que las mujeres a tener sexo sin afecto,[11] cuando *eros* está enardecido las diferencias de género desaparecen: no somos ni de Marte ni de Venus, sino terrícolas apasionados, descompuestos de amor, colmados de deseo.

La convicción de que el amor será para siempre. La idea de un amor inmortal, eterno e indestructible, una especie de ave fénix que resucita permanentemente de las cenizas del desamor o el despecho, es una de las creencias más comunes de los enamorados del amor.[12] Quizás algunos boleros no sean más que la revelación a punto de lo que la mayoría de los humanos siente: "Reloj, no marques las horas, haz esta noche perpetua", la eternidad afectiva, el amor en suspensión animada. La angustia que suele acompañar a *eros* no sólo es la carencia, como veremos más adelante, sino también la sensación irrevocable de que tarde o temprano la vida o la muerte pondrán término al idilio.

Pensamiento obsesivo sobre el ser amado. Aunque los pensamientos de la persona enamorada son intrusivos y persistentes, no siempre son molestos, más bien adoptan la forma de rumiación autogratificante, un embelesamiento recordatorio del cual el sujeto no quiere desprenderse. La memoria depende del estado de ánimo: cuanto más sea la alegría, más serán los recuerdos positivos y, por el contrario, cuanto más tristes nos encontremos, más serán los recuerdos negativos.[13] Parte de la satisfacción afectiva interpersonal se debe precisamente a nuestra habilidad para olvidar lo malo.[14] "¡Trato, trato de hacerlo, pero me es imposible... Sólo recuerdo lo bueno que hubo entre nosotros!", me decía una mujer que trataba de desapegarse de un mal novio.

Deseo de unión y fusión total con el amado. El deseo que guía el enamoramiento va más allá de querer estar con la persona amada, lo que exige el enamorado es "ser uno con el otro". Una mujer casada, que nunca había sido infiel, cayó perdidamente enamorada del socio de su marido. La angustia por su "amor imposible" era tal que tuvo que ser medicada y recluida unos días en una clínica de reposo. En una de las visitas, expresó así su sentir: "Ya sé qué es lo que quiero... No vaya a pensar que estoy loca, pero ya entendí cómo calmar mis ansias... Lo que necesito es tragármelo, quiero devorarlo". Esta necesidad "antropofágica" de no aceptar la separación por ninguna razón remite, tal como decía Fromm,[15] a una soledad existencial. Mi paciente expresaba de manera delirante la necesidad de una certeza afectiva inalcanzable: "Ser uno, aunque seamos dos".

Disposición a correr cualquier riesgo para conservar la relación. No hay límite, el amor pasional no mide consecuencias. La supuesta "valentía" que mueve a los que sufren de enamoramiento no suele ser más que inconsciencia o incapacidad para medir las consecuencias negativas, de manera similar a lo que ocurre en algunos trastornos mentales.[16] Esta falta de autocontrol y la dificultad para tomar decisiones racionales fácilmente pueden convertirse en apego y configurar un cuadro mixto de depresión y dependencia.[17]

Además, el enamoramiento tiene ciertos componentes químicos que explican en parte el comportamiento que provoca. Se ha descubierto que la excitación romántica está directamente ligada a la feniletilamina, una sustancia estimulante adictiva que cuando se dispara produce euforia y alborozo.[18] También se ha reconocido, para desconcierto de algunos románticos, el papel que cumplen algunos transmisores cerebrales (dopamina, serotonina y noradrenalina) que se relacionan con enfermedades mentales, como los trastornos maniaco-depresivos y los trastornos de ansiedad.[19]

Por otra parte, hay evidencia de que el amor no sólo entra por los ojos, sino por la nariz. Existen unos productos volátiles que exuda el organismo, llamados feromonas, que parecen actuar como señales bioquímicas relacionadas con la atracción y el interés sexual: la seducción del aroma, de la esencia personalizada que explicaría en parte el fenómeno del amor a "primera vista".[20] Conozco más de un caso donde la incompatibilidad ha sido más olfativa que psicológica.

La bioquímica del amor erótico podría resumirse de la siguiente manera:

a) lujuria o deseo ardiente del sexo, cuya responsable es la testosterona, y

b) atracción o amor en la etapa de euforia, cuya causa está determinada por elevadas cantidades de dopamina y noradrenalina y bajos niveles de serotonina.[21]

Como puede deducirse de lo expuesto hasta aquí, *eros* es altamente complejo. Su naturaleza incluye deseo/pasión, una curiosa mezcla de dolor placentero y placer doloroso, euforia/exaltación, necesidad de posesión, sobreexcitación biológica (bioquímica y hormonal) y desorganización del sistema del procesamiento de la información. *Eros* te elige, no tú a él.

Para no sufrir

*Disfruta del enamoramiento sin dejar que afecte tu individualidad
y tu salud mental*

- ¿Qué hacer entonces para mermar la angustia del enamoramiento? ¿Es posible preparar y fortalecer la mente para semejante asalto al corazón? Podemos incrementar nuestra inmunidad a sufrir. No implica perder la sensibilidad por el placer y el gusto al enamorámiento, sino darle un toque racional, un freno inteligente para vivir a *eros* más tranquilamente y no salir lastimados (al menos, no tanto como vemos que ocurre con la mayoría de la gente). Reflexionar antes, durante y después del enamoramiento: racionalizar el deseo, al menos cuando deba hacerse.

- Si *eros* se disparó de manera inesperada, la cuestión es más difícil de controlar. Tratar de convencer a un borracho o a un adicto al éxtasis en plena euforia sobre los efectos negativos del consumo es perder el tiempo. De todas maneras, si has creado un esquema de defensa antes del enamoramiento, éste actuará de manera automática y atenuará el impacto. Te permitirá procesar el sentimiento de manera más saludable. Obviamente tampoco se trata de instalar un estilo "antieros", baluarte de los esquizoides, los mojigatos o los cobardes. El análisis sereno apacigua el espíritu, pero no le quita fuerza.

- Si quieres dejar entrar a *eros* a tu vida y disfrutarlo sin tanta angustia debes crear algunos antídotos y una vez creados no olvidarlos. Uno puede entregarse "casi" totalmente durante el enamoramiento, pero el "casi" implica dejar una pequeña área del cerebro libre de afecto, dispuesta y vigilante, como las madres cuando duermen y despiertan ante el más mínimo movimiento de su bebé, pero no ante un trueno. Atención despierta, cuidado cortical, la teoría de Pavlov al servicio de la defensa afectiva.

- Es posible hacerlo, si utilizas el *principio de la racionalidad responsable*. No eres una máquina afectiva que devora amor, aunque quisieras. El pensamiento racional hará que no te comportes como una persona adicta y desesperada por sentir. Para sentir bien, hay que pensar bien. El afecto no aparece en un vacío informacional, sino que en él intervienen tus creencias, tu sistema de valores, tu filosofía de vida y tus actitudes. Nunca eres "puro amor". La racionalidad responsable implica utilizar la razón de manera moderada e inteligente, sin reprimir, pero también sin soltar totalmente el corazón. Tus puntos de alerta harán que puedas disfrutar sanamente la relación. El enamoramiento sólo afecta negativamente a las mentes predispuestas a sufrir.

- ¿Quién dijo que no debe haber límites para *eros*? Si tu compañero de enamoramiento te pide que te prostituyas porque necesita dinero, ¿lo harías? ¿No sería un coto para que el amor pasional se confronte con la realidad? El amor no lo justifica todo, si no sería Dios.

- Hay una serie de creencias racionales o esquemas adaptativos que puedes ir construyendo, para luego internalizarlas y establecer así un cinturón de seguridad cognitivo ante la embestida del enamoramiento. Insisto, no hay que dejar de disfrutar el placer de ser amante o amador, sino saber cuándo es peligroso y cuándo no: sabiduría afectiva, capacidad de discriminación. Cada vez que sientas, percibas o intuyas que tal o cual persona puede llegar a generar en ti enamoramiento, o cuando definitivamente ya estás bajo el influjo de *eros*, activa las siguientes cinco premisas. Lo ideal es que reflexiones sobre estos temas y asumas una posición, ojalá en frío, para que con el tiempo elabores tu propio estilo afectivo. Practícalas y automatízalas, conviértelas en pensamiento.

1 | No idealices a la persona amada

- No distorsiones la información magnificando lo bueno y minimizando lo malo. No digo que te vuelvas una persona desconfiada, sino que intentes establecer un balance más o menos objetivo. La clave es: sé realista. Aunque te sientas fascinada por el sujeto, no te rindas a sus pies. Aunque ella parezca una diosa, no pongas cara de esclavo, controla la baba. El tiempo hace que uno vaya viendo cómo es realmente el otro, pero un tiempo sin sesgos ni autoengaños. Si adoptas esta actitud realista desde el principio o desde el momento en que descubres que estás enamorado o enamorada, *eros* no podrá distorsionar la información. No hallar defectos al comienzo de una relación pasional es apenas obvio, ya que las hormonas bajan el cociente intelectual y la capacidad de observación. Pero si mantienes la calma mental, es decir, si procuras estar atento pese a la ilusión, no crearás un ídolo ni un monstruo de perfección.
- Además, ¿realmente quieres un compañero o una compañera de "diez"? Porque si eso es lo que buscas, deberías revisar tu necesidad de aprobación. Recuerda: al inicio de un romance todo es color de rosa, todos escondemos los defectos y exageramos las virtudes. No es para que te desilusiones, sino para que abraces un amor verdadero, de carne y hueso. ¡Qué engorro una "superpareja"!

- Cuando idealizas a alguien es que no te alcanza la persona tal cual es. Además, la idealización produce un efecto de rebote: cuando se pasa, vuelves a la imperfecta realidad del ser amado y a su consabida desilusión. *Eros* es un embellecedor de tiempo limitado, y por eso es mejor "enfriar" un poco el procesamiento. Conclusión: alerta naranja, atención despierta y percepción realista. Y, después, haz lo que quieras.

2 | Estar enamorado no implica abandonar tu rol social y tus otras áreas de desempeño

- No debes desaparecer para el mundo y sus placeres si *eros* llega. Y no hablo de ser infiel, porque cuando se está en pleno enamoramiento nadie te provoca y por lo tanto no hay riesgo. Me refiero a que debes tener cuidado de no caer en el aislamiento social o el abandono en tus otras áreas de desempeño. Si piensas: "¡Él lo llena todo!", "¡Ella justifica mi vida!", estás cayendo al abismo. ¿Quién dijo que debes dejar a tus amigos o amigas anteriores o descuidar tu trabajo por culpa de un nuevo romance? ¿De dónde sacas que estar enamorado es perder tu esencia básica? *Eros* nos lleva a pensar absurdamente que si no estamos de tiempo completo con la persona amada, la felicidad es incompleta.
- Desde el mismo comienzo de la nueva relación debes dejar sentado para ti y para la otra persona que tu vida no se verá alterada en lo fundamental, en lo que eres, en tus gustos, en tus pasatiempos, en tu ideología. El acoplamiento debe ser mutuo, pero respetuoso, y eso significa "reestructurar la vida", pero no hacer borrón y cuenta nueva. Tu pareja no

es el segundo Mesías, por lo tanto no tienes que desbaratar lo que has construido por años. He conocido a más de un enamorado que bajo el influjo erótico intenta cambiar la personalidad, como si *eros* se tratara de una revelación trascendente. No exageremos. Una cosa es deshacerse en besos y caricias y otra volver añicos el "yo".

- Así pues, si *eros* empieza a hacerte cosquillas, deja las cosas en claro desde el inicio: *mis cosas, tus cosas* y *nuestras cosas*. Si crees que descuidar las otras facetas de tu vida es un "acto de amor", no te engañes, estamos hablando de puro enamoramiento y no de *philia*, que es más racional. Si tienes vocación de dador o dadora (*ágape*), lo cual no es malo, espera un tiempo a que *eros* repose. El principio del placer se disfraza a menudo de convicción. *Eros* te otorga el don del placer, pero te quita inteligencia y racionalidad, por lo tanto, tus "decisiones románticas" son sospechosas por definición. Dile a tu nueva pareja: "Bienvenida a mi vida, esto es lo que tengo, esto es lo que soy, esto es lo que voy a defender y esto es lo que estoy dispuesto o dispuesta a negociar".

- Conclusión: amar sin dejarte absorber totalmente por el otro, no perder tu manera de ser en brazos de nadie, no abandonar a los viejos amigos, las aficiones o cualquier otra cosa que sea significativa, para tener a *eros* contento y amarrado. Que te quieran o te deseen como conjunto, o que no te quieran ni te deseen.

3 | *Eros* decae, no necesariamente se acaba, pero declina con el tiempo; así que no te ilusiones demasiado

- Una vez más, la realidad. La magia no dura más allá de lo que la naturaleza designa. *Eros* puede transformarse en otra cosa e incluso puede mantener durante un tiempo su encanto original, pero el enamoramiento tiende a bajar de intensidad. Por lo tanto, no deberías sorprenderte de que uno de los dos (si tienes suerte, tú primero) entre en desgano. No obstante, puedes dejar los cimientos para que cuando *eros* baje su furor, prospere algo nuevo y gratificante, si te interesa. Obviamente, no digo que tengas que vivir tu experiencia romántica con la pesadumbre de que se va a terminar en cualquier momento, de lo que se trata es de estar con los pies en la tierra. Una frase saludable: "Voy a disfrutarlo mientras dure, sin perder demasiado el norte".

- La química se agota; no depende esencialmente de ti que esto ocurra, pero de todas maneras puedes establecer las bases para que *eros* se transforme en *philia*. *Para siempre* es una mala frase, al igual que *todo*, *nunca* o *nada*. Estos calificativos caracterizan el pensamiento absolutista y dicotómico que se maneja entre extremos sin ver los matices.

4 | No dejes que la persona que amas ocupe tu mente, como si fuera un virus

- Pensar en él o en ella todo el tiempo te quita energía, te idiotiza. Pelea con la obsesión. Amar no es desarrollar un trastorno obsesivo-compulsivo. Puedes utilizar la palabra *stop!* o ¡*basta*! doscientas veces, llamar a alguien, salir a la calle, gritar como un loco o leer algo divertido cuando te invada el pensamiento perturbador, pero lo más importante es tomar conciencia de cuánto espacio mental te quita el romance. Es ideal para esto tener un amigo o amiga que haga el papel de aguafiestas, que te traiga a la realidad sin contemplaciones ni anestesia, que te señale el error o cuánto te estás apartando de la normalidad.

El trato que hizo una de mis pacientes con su mejor amiga fue: "Voy a contarte cada vez que no sea capaz de quitármelo de la cabeza o cuando me sienta que estoy exagerando. Tú, entonces, me pellizcas, me muerdes, me tiras un vaso de agua fría o me das una patada, pero no me dejes asumir el papel de estúpida mientras esto dure". La posición es clara, los puntos de alerta están activados. "Mientras esto dure" significa mucho, es la aceptación de que el conjunto de las sensaciones que se están sintiendo no durarán para toda la eternidad.

La estrategia que utilizó mi paciente se conoce como la *técnica de Ulises*, y consiste en poner el control afuera, si no soy capaz de controlarme a mí mismo. Recordemos que Ulises le pidió a sus compañeros que lo ataran al mástil y que no lo soltaran hasta salir del mar de las sirenas, sin importar lo que dijera o hiciera, para evitar así ceder al hechizo de su canto.

- Conclusión: distracción, poner el control afuera, detener el pensamiento, así sea placentero. La droga también lo es. Que te "guste" pensar todo el tiempo en ella o él no es razón valedera: el principio del placer no justifica la locura.

5 Si tu relación requiere que hagas sacrificios heroicos y esfuerzos denodados para mantenerla activada, no funciona

- El enamoramiento no es *philia*, ni convivencia matrimonial. No vale la pena correr riesgos inútiles para conservar una relación erótica que no se conserva a sí misma. No dejes que el heroísmo amoroso se te suba a la cabeza. Cuando te encuentres bordeando el precipicio de la insensatez ya puede ser tarde. El pensamiento que debes fortalecer es: "No haré nada que me dañe a mí o a las personas que amo de manera irracional o no justificada". Escríbelo en una o varias tarjetas y riégalas por todas partes. Úsalas como un recordatorio. Si tienes que desgastarte mucho para que tu pareja en turno siga contigo o para que *eros* no languidezca estás en el lugar equivocado o ya entraste al terreno de la adicción. El placer erótico tiene su propio motor, y si hay algo que no se debe hacer en el enamoramiento es esforzarse para generar placer, porque ya está implícito.
- Conclusión: el enamoramiento es un estado emocional que puede llevarte a cometer cualquier insensatez, como por ejemplo casarte sin pensarlo demasiado, entregar tus bienes o tu vida. Una paciente, bajo el furor de *eros*, decidió dejarse contagiar de VIH por su nueva pareja (llevaban menos de un mes) como una prueba de amor. Aún se lamenta del error.

2. Amor y deseo: el *eros* imprescindible

El deseo mueve al mundo y a cada uno de nosotros. Desear, según el filósofo Baruch Spinoza,[22] es "perseverar en el ser" (*connatus*), es el apetito, las ganas: "No es otra cosa que la esencia misma del hombre". O dicho de otra forma: el deseo nos impulsa a vivir lo más intensamente posible.

Analicemos dos afirmaciones que pueden destruir la autoestima de cualquiera: *a)* "Te amo, pero no te deseo" y, *b)* "Te quiero, pero no te amo".

En el primer caso, el contrasentido es evidente: *no hay amor de pareja completo sin deseo*. Amor sin deseo es amistad pura (*philia*) o alguna forma de amor espiritual (*ágape*), válidos sin lugar a dudas, pero insuficientes por sí mismos para conformar una relación de pareja plena y saludable.

En el segundo caso, nos están diciendo que la pasión no alcanza para ser amantes, que no habrá sexo, que el deseo se agotó, que no hay apetencia. "Te quiero, pero no te amo" quiere decir: "Siento por ti un cuasi amor, un amor subdesarrollado que se quedó a mitad de camino". Un afecto filial, sin pasión o con muy poca. Si alguien te dice que "te quiere" pero que no sabe si "te ama" es que no te ama lo suficiente, así que no pierdas el tiempo.

Precisamente, una característica del amor pasional es que su ocurrencia nunca se pone en duda. La evidencia del amante es abrumadora, no cabe el titubeo. La poeta griega Safo[23] nos da una pista. El poema se llama "Me parece igual a los dioses":

> Lo que a mí
> el corazón en el pecho me arrebata;
> apenas te miro y entonces no puedo
> decir ya palabra.
> Al punto se me espesa la lengua
> y de pronto un sutil fuego me corre
> bajo la piel, por mis ojos nada veo,
> los oídos me zumban,
> me invade un frío sudor y toda entera
> me estremezco, más que la hierba pálida
> estoy, y apenas distante de la muerte
> me siento, infeliz.

Eros incrustado en el corazón de una lesbiana hace más de 2,500 años. No hay vacilación, está todo dicho.

"Te amo, pero no te deseo", dice la novia crudamente después de siete años de relación. "Entonces no me quieres de verdad", replica él con desconsuelo, apelando a una coerción moral que no dará resultado. En realidad, ella le está diciendo que lo estima bastante, que lo aprecia desde lo más profundo de su ser, pero lejos de la pasión, lejos del cuerpo que ya no se estremece. Es allí donde el amor de pareja pierde potencia, en los límites de la caricia que no seduce, en la ausencia del otro como amor carnal. *Eros* busca intimidad de piel, tocar y ser tocado. *Eros* se realiza en el cuerpo a cuerpo, que no siempre es sexo crudo.

Si, como dicen algunos, el deseo no es importante para la vida amorosa: ¿aceptarías que tu pareja te amara y no te deseara? Si un genio malévolo te pusiera en el parangón de decidir entre ser

amado(a) o deseado(a), ¿qué elegirías? La gran mayoría de las personas preferirían ser amadas a ser deseadas, porque el deseo es considerado fugaz e incompleto, mientras que el amor es visto como
trascendente e imperecedero. Es la cuestionable herencia de Platón: el cuerpo visto como un objeto desechable o un mal necesario.
¿Qué elegirías, entonces: erotismo sin amor o amor sin deseo sexual? Los que no somos maestros espirituales ni santos, y ansiamos
el juego erótico con la persona amada, pediríamos todo o nada.

No digo que *eros* sea lo único, ni siquiera lo más importante
para la vida de pareja. La premisa es clara: *eros* es necesario, pero
no suficiente. Me pregunto: ¿qué haríamos sin la pasión por el ser
amado, sin la conmoción, sin el rubor, sin la ambición del otro?
¿No amamos más a la pareja después del disfrute, después de verla temblar y regocijarse en nuestros brazos? Si la respuesta es negativa, el amor está fragmentado, hay un desbalance que debe ser
equilibrado antes de que se produzca una ruptura definitiva.

En palabras del filósofo Comte-Sponville:[24] "El amor se nutre
del deseo, el amor es deseo. El deseo no es otra cosa que fuerza de
vida en nosotros, es capacidad o potencia de gozar". Es el deseo a
favor de la existencia, un poder autoafirmativo, el motor principal
que nos empuja a actuar en pareja.

El amor deseado: sexo y erotismo

¿Cuál es el tipo de deseo que caracteriza a *eros*? Deseamos muchas
cosas en la vida y no todo está relacionado con la persona amada o la
sexualidad. Podemos desear un automóvil nuevo, ir de vacaciones,
sacar una buena nota en la universidad, ir a una fiesta, tener ideales
trascendentes. Pero el *eros* del enamorado pasional sólo se realiza en
la posesión del otro, tanto en lo psicológico como en lo sexual.

Deseo de posesión: en el sentido de "tomar", "apoderarse" del ser amado de manera simbólica o de hecho: "Eres mía o mío", "Me perteneces", como el auto, la casa o cualquier otra posesión material. Un amigo, luego de haber conquistado a una hermosa mujer bastante esquiva a sus insinuaciones, exclamó: "¡Al fin la atrapé!". El hombre araña tras su presa. La obtuve, la tomé, fui y la traje. Adueñarse, conseguir lo que falta: *eros* conquista, se apropia, invade territorio, declara la guerra. Es el deseo irrefrenable de unirse a la persona amada a cualquier precio; así sólo sea una fusión ficticia, la sensación basta.

Deseo sexual: manifestado como sexo puro e instintivo o también como erotismo (sexualidad inventada, recreada y humanizada). Si bien el sexo carnal tiende a bajar su frecuencia con la familiaridad y el tiempo, el erotismo puede prosperar de manera ilimitada, a pesar de los años: el animal se sacia en el objetivo fundamental de la reproducción; el hombre, en cambio, es insaciable en tanto posibilidad mental.

En el *erotismo* el sexo no está exclusivamente al servicio de la reproducción, también está al servicio del placer, al goce de amar a través del contacto físico y los imaginarios. He conocido parejas de ancianos donde el erotismo, el juego y la picardía siguen tan vigentes como el primer día. Las arrugas, la flacidez, las estrías e incluso la impotencia no son excusa para dejar de soñar el sexo. Es la estética del placer que no se resigna ante lo añejo. El señor de ochenta y cinco años me dice: "Cuando me acuesto a dormir, la abrazo por detrás y le acaricio los pechos con suavidad... A veces le pongo la mano entre las piernas y ella deja que mi mano se deslice y así nos quedamos hasta el otro día". La señora, que estaba presente, se sonroja y aclara: "Pero mi amor, cómo se te ocurre contar esas cosas al doctor... Qué va a pensar de mí".

Con el erotismo entramos en el cuerpo ajeno para trascenderlo.

Por eso un amor de pareja mojigato y escandalizado de sí mismo está destinado al fracaso. Una de mis pacientes, una señora de cincuenta y tres años, rezaba el rosario en silencio mientras hacía el amor con el marido y le entregaba el sacrificio a Dios en nombre de los niños desamparados de algún lugar que no recuerdo. Un señor adicto a una de esas religiones fanáticas de corte parroquial sólo tocaba a su mujer cuando la biología se lo indicaba, pero lo hacía de mala gana, porque la testosterona era más poderosa que su fe. El deseo sexual inhibido o disminuido, la aversión al sexo, los problemas de excitación o de orgasmo casi nunca son virtudes para la ciencia psicológica y psiquiátrica, más bien son considerados disfunciones sexuales y necesitan tratamiento.[25]

Algunas parejas fracasan en su vida sexual por pura incompatibilidad. Estilos distintos, motivaciones dispares que a veces son irreconciliables, pese a los intentos de la ciencia.

Ana acudió a mi cita porque su marido mostraba ciertas inclinaciones que a ella le parecían inapropiadas: "No es que no me guste el sexo, pero mi esposo es demasiado... fantasioso... Necesita imaginarse cosas para estar bien conmigo y eso me hace sentir mal". Reproduzco parte de una conversación que tuve con ella.

TERAPEUTA: Por lo que me dices, él necesita utilizar fantasías sexuales para poder estar contigo, ¿te entendí bien?

ANA: Sí.

TERAPEUTA: ¿Podrías ser más explícita?

ANA: Me siento incómoda hablando de esto... Él se imagina cosas que no me parecen normales...

TERAPEUTA: ¿Cómo qué?

ANA: Que yo estoy bailando en una discoteca y la gente me mira, moviéndome de manera sensual y cosas por el estilo. A veces se imagina que hacemos el amor en público.

TERAPEUTA: ¿Algo más?

ANA: Tener sexo en un parque... Una vez me pidió que imagináramos que había otra persona... con nosotros.

TERAPEUTA: ¿Alguien en especial?

ANA: Sí... Una amiga mía.

TERAPEUTA: ¿Esto ocurre con mucha frecuencia?

ANA: Una o dos veces al mes.

TERAPEUTA: ¿Te pide algo más que te incomode?

ANA: Le gusta mucho el sexo oral y a mí me da un poco de sensación...

TERAPEUTA: ¿Sientes asco?

ANA: No, más bien pudor... No digo que sea pecado, sino que me parece incómodo... Él necesita de muchos requisitos para excitarse... Música, incienso... A veces trae cremas y unos aceites pegajosos que me parecen horribles... Cuando eyacula le gusta que yo me unte de su semen... Pero lo que más me molesta son las fantasías... No creo que eso sea normal... Pienso que debería bastarle conmigo.

TERAPEUTA: ¿Sientes que no te desea?

ANA: Pues a mí sola, no.

TERAPEUTA: Por lo que dices todas sus fantasías o sus "agregados" giran alrededor tuyo.

ANA: Sí, pero yo me pregunto, ¿por qué no podemos tener un sexo más natural, más sano?

TERAPEUTA: ¿Piensas que el sexo que propone tu marido es enfermizo?

ANA: No sé, a veces lo he pensado. ¿Por qué no es capaz de hacer el amor como todo el mundo?

TERAPEUTA: ¿Cómo crees que lo hacen los demás?

ANA: Normal... Como dos personas normales.

TERAPEUTA: En los humanos el sexo suele ir más allá del coito o la simple penetración. Es lo que se conoce como erotismo. Un salto por encima de lo biológico donde intervienen las fantasías, los juegos y otros añadidos; sin embargo, a muchas personas no les gusta y prefieren tener relaciones más formales. Tu marido tiene una manera de concebir el sexo distinta a la tuya; si te sientes forzada a hacer cosas que no quieres, es preferible que no las hagas.

ANA: Para mí debería ser algo más natural.

TERAPEUTA: Algunos psicólogos consideran que la sexualidad "natural" en los humanos es precisamente usar la imaginación. ¿Qué piensas de eso?

ANA: En mi caso, no.

TERAPEUTA: ¿Has hecho el intento de acoplarte a algunos de sus juegos para ver cómo te sientes?

ANA: No soy capaz... Me molesta... Es como cuando se masturba... Siento que me hace a un lado, así lo haga abrazado a mí.

TERAPEUTA: ¿Tienes orgasmos?

ANA: No sé... Creo que sí... Ya no sé...

Los gustos sexuales de Ana eran muy distintos a los de su esposo. Ambos fueron remitidos a un programa de terapia sexual y de pareja. Después me enteré de que ninguno pudo acoplarse al estilo del otro y ella prefirió separarse a tener que participar en las fantasías que él le proponía, así sólo fueran virtuales y ella fuera la única protagonista.

Más allá de cualquier juicio de valor, lo que resulta difícil de entender en este caso es cómo dos personas tan distintas en lo sexual hayan tomado la decisión de vivir juntos y casarse. Muchos individuos sobrestiman el poder del amor y subestiman el papel que tiene el deseo sexual en la conformación de una pareja satisfactoria. El resultado está a la vista.

El *eros* desbordado, que generalmente termina en violencia o desviaciones sexuales, también necesita ser intervenido.[26] Recuerdo el caso de un paciente que se quejaba porque su mujer no lo acompañaba en sus fantasías, las cuales eran especialmente complejas. Una de ellas consistía en lo siguiente: él debía bajar a las veintitrés y cuarenta y cinco de la noche al garaje del edificio donde vivían, esconderse debajo de su auto y comenzar a masturbarse; a las doce en punto, su esposa, vestida de falda larga y botas rojas, debía subirse al coche y acelerarlo hasta que él eyaculara.

Como resulta entendible, la señora, una mujer abierta y tranquila que solía acceder a las exigencias sexuales del hombre, no estaba muy contenta con semejante ajetreo. De manera razonable, ella no solicitaba que se acabaran los juegos sexuales, sino que se hicieran menos complicados y en lo posible a otras horas. Luego de algunas sesiones, el hombre logró reducir y moderar sus fetiches. A diferencia del primer caso, aquí no había una diferencia de fondo en lo sexual. Ambos mostraban modos y gustos similares, y congeniarlos no fue problemático.

Ubicar el punto exacto en que nos sentimos cómodos no siempre es tarea fácil. Sin deseo, el amor de pareja pierde su fuerza esencial, pero también es cierto que una relación de pareja no puede depender exclusivamente del número de erecciones para ser feliz. Hay gente que es más sexual que otra, y esas diferencias individuales pesan mucho a la hora de experimentar la sexualidad en pareja.[27]

De todas maneras la pregunta está abierta: ¿prefieres una pareja apasionada o fría? Las mujeres suelen responder que la prefieren "apasionada moderada", para no dejar de lado el ingrediente de la ternura. Los hombres dicen otra cosa: "No me importa que sea una ninfómana y que me abrume... Bueno, y que también me quiera, claro".

La castidad no parece compatible con una relación de pareja completa y satisfactoria, al menos para los que no quieren apostar a una santidad matrimonial. ¿Te casarías con alguien que ha hecho votos de castidad? No niego que existan pruebas de amor desinteresadas que superen por lejos a *eros* y hagan uso de *ágape* (basta pensar en aquellas personas cuyas parejas sufren de alguna enfermedad terminal o que han sido víctimas de accidentes graves e incapacitantes de por vida). Sin embargo, nada hace suponer que en condiciones normales el amor desinteresado y espiritual deba renunciar al erotismo. No hay que desertar de *eros* para aspirar a un amor más elaborado ni suponer que la frialdad llega con la vejez. *Eros* siempre está inmerso en el amor de pareja. El amor maduro lo incluye, lo acepta con alegría y lo disfruta. Nuevamente, Octavio Paz:[28]

> El sexo es la raíz, el erotismo es el tallo y el amor es la flor. ¿Y el fruto? Los frutos del amor son intangibles. Ése es uno de los enigmas [p. 37].

El sexo asusta, porque pone en duda la propia identidad. *Eros* nos lleva al abismo, nos confronta con nuestros orígenes y nos descubre en aquello que preferimos ocultar por pudor o miedo. En la relación sexual, durante un tiempo indescifrable, perdemos la orientación y nuestra única referencia pasa a ser el cuerpo del otro, allí nos extraviamos. La vivacidad del instinto nos despersonaliza y nos arroja por fuera de la razón. *Eros* es placer, no necesariamente alegría ni tranquilidad. *Eros* es subversión y alegoría. ¿Sexo sin amor? Obvio, existe por doquier. ¿Amor de pareja sin deseo? Difícil de concebir, al menos para un amor que pretenda la plenitud de sus facultades.

Carencia y aburrimiento: "Ni contigo, ni sin ti"

Como ya expresé antes, el carácter contradictorio de *eros* está fuera de toda duda. En el enamoramiento puro no hay felicidad completa, porque el enamorado no soporta la ausencia del otro, y tampoco hay saciedad total, porque la expectativa es alcanzar el amor absoluto ("Llenarme de ti"), lo cual es imposible.

Según un reconocido diccionario, *desear*, además de estar relacionado con apetencia sexual, tiene la siguiente connotación: "Aspirar al conocimiento, posesión o disfrute de una cosa". Es decir, aunque suene deprimente, se desea lo que *no se sabe*, lo que *no se tiene* o lo que *no se disfruta*. Es el deseo visto como carencia, como déficit: "Te amo porque no puedo tenerte, porque me faltas".

Sin embargo, concebir el deseo de esta manera es condenarlo al sufrimiento, porque si sólo puedo desear lo que no tengo, ¿qué pasa cuando lo obtengo?[29] Si *eros* sólo desea lo que no tiene, ¿no pierde su sentido cuando satisface la necesidad, cuando obtiene lo que apetece?

Un ejemplo típico es cuando un hombre va a la cama con una mujer que acaba de conocer, atraído exclusivamente por su físico. Después del coito, los géneros se diferencian con claridad: cada quien toma su camino. Él quiere escapar con urgencia: la mujer que unos segundos antes ejercía el mayor de los embrujos, ahora pierde todo su encanto, *eros* palidece y queda el aburrimiento: *Post coitum omne animal triste est...* (en una versión menos latina: "Indio comido, indio ido" o "Misión cumplida").

Para colmo, cuando él acaba, ella empieza: "Bueno, ahora que estuvimos juntos, dime qué piensas de lo que sientes y qué sientes de lo que piensas y qué vas a sentir en el futuro, qué pensarás de mí, cómo me ves... Ya que nos hemos divertido, ahora tratemos de conocernos". El hombre entra por el sexo y llega al amor, la

mujer entra por el afecto y llega al sexo, al menos ésa es la tendencia de choque en la que nos movemos.

El deseo también puede funcionar como un reto: *eros* al servicio del orgullo. Una joven y bella mujer afirmaba: "Me gustan los
hombres que no se muestran interesados en mí, los difíciles, los es-
quivos... No sé por qué razón ellos me despiertan la sensualidad,
son sencillamente un trofeo... Verlos doblegados me excita".

La contradicción del deseo erótico puede manifestarse además en un nivel más complejo y existencial que la simple aventura casual. En ocasiones, una dinámica cruel y dramática induce
al amante a una retirada inexplicable: "Ansío tu presencia, pero
luego de unos momentos ya no te soporto... Y no es que te odie o
me produzcas algún tipo de repulsión, sino que me aburro de ti...
Pierdes el encanto cuando te muestras como eres, cuando dejas
de ser un sueño para hacerte real... Curioso amor este que sólo te
ama en la ausencia... Únicamente te amo cuando no estás, como si
fueras una visión, un amor fantasmal". Placer logrado: muerte del
deseo, aburrimiento. La trampa mortal de *eros*: "Te necesito cuando no estás y me aburro cuando estás".

Schopenhauer[30] vio claramente este proceso de autoaniquila-
ción erótica cuando afirmaba que toda felicidad es negativa:

> Y una vez realizada la conquista, una vez alcanzado el objeto, ¿qué
> has ganado? Nada, seguramente, si no es haberse liberado del sufri-
> miento, de algún deseo, de haber alcanzado el estado que uno tenía
> antes de la aparición del deseo [p. 249].

Por eso *eros* no alcanza a configurar las bases del amor maduro y
estable. Se necesita un deseo que no esté atrapado en el miedo a
la pérdida, que se mantenga vivo a pesar del disfrute y que esté
apuntalado en algo más que la apetencia. En otras palabras, *eros*

al servicio del presente continuo, el deseo aquí y ahora: desear lo que tenemos, lo que sabemos y lo que gozamos.[31] Veamos un caso.

Fernando era un hombre joven que mantenía una relación a distancia con una mujer de su misma edad desde hacía dos años y medio. Se veían cada quince días y pasaban el fin de semana juntos. Desde el comienzo, la relación mostró un desbalance fundamental: ella con el pie en el acelerador y él a media máquina. Fernando entró en un conflicto letal: "No soy capaz de comprometerme, pero tampoco soy capaz de dejarla".

Se mostraba quisquilloso con ella, peleaba por cualquier insignificancia y amenazaba con terminar la relación a cada rato, y después, víctima de la nostalgia y el arrepentimiento, la llamaba para que se arreglaran. La ambivalencia parecía irresoluble: en la lejanía, la deseaba, le daban ataques de celos, la acosaba telefónicamente y le prometía amor eterno, y en la proximidad, una vez que se acababa el arrebato, caía en la más profunda y penosa indiferencia.

En las consultas la indecisión se hacía evidente. Cuando yo le sugería que se casara con ella, él exaltaba las ventajas de vivir alejado, y si le mencionaba la ruptura, se aferraba a la relación. Si yo exaltaba las virtudes de la mujer, él hacía referencia a sus defectos, y si yo me concentraba en sus defectos, él la defendía abiertamente. "Ni contigo, ni sin ti". Por un lado, la presión para formalizar la relación y por el otro, la ambigüedad de un *eros* que lo empujaba cada vez más en sentido contrario.

Un día la cuestión tomó un matiz casi trágico. La novia, harta de esperar, consiguió un nuevo admirador, menos ambiguo y mucho más valiente que mi paciente. Al ver que la iba a perder definitivamente, Fernando entró en pánico y contra toda lógica le propuso matrimonio, a lo cual ella, contra toda lógica, aceptó. A los seis meses de casados se separaron. Él aún suele llamarla, cuando el deseo, la carencia o la soledad activan la nostalgia re- trospectiva de lo que podría haber sido y no fue.

Dadas ciertas condiciones amorosas positivas, es decir, rela- ciones en las que exista *philia* y *ágape*, así sea en pequeñas dosis, *eros* es capaz de trascender el instante placentero y disfrutar de la calma después de la tempestad. Domenico Modugno, en una de sus canciones, lo expresa así: "Sabes que la distancia es como el viento, apaga los fuegos pequeños pero enciende aquellos gran- des". Yo diría que enciende los fuegos bien repartidos y distribui- dos. *Eros*, *philia* y *ágape*: la triple llama que se aviva con la lejanía.

¿Qué hacer, entonces? Disfrutar lo que se tiene, lejos de la esperanza, de lo que "podría ser", de las quimeras, someternos al aquí y ahora de manera consistente. Conozco gente que no dis- fruta de un buen plato de comida porque sabe que se le va a aca- bar. La mala noticia, aunque sea obvio, es que todo se acaba. Las personas que queremos van a fallecer algún día, nosotros mismos moriremos, y no por eso hay que echarse al dolor y dejar de dis- frutar lo que tenemos. Creo que la posición más sana debería ser al revés: como no vamos a vivir eternamente, como somos materia perecedera, mejor intentemos aprovechar de manera intensa y pe- netrante cada momento. Una vez más: gozar lo que *somos* y lo que *tenemos*, momento tras momento.

Krishnamurti[12] afirmaba que el deseo es placer proyectado en el tiempo, es decir, necesidad psicológica de perpetuar el placer y repetirlo hasta el cansancio. Así somos, pero es comprensible: ¿quién no quiere estar una y otra vez con la persona amada? Yo lo llamo "apeguito" erótico, preferencia más que adicción. De no ser así, sólo nos quedaría la opción tediosa de un deseo insatisfecho.

Dicho sea de paso, he visto a más de un fanático de la Nueva Era cambiar su opinión sobre el apego cuando *eros* los flecha muy a su pesar. Toda la apología orientalista del desapego se hace añicos ante la fuerza embriagadora del amor pasional. Así, el enamoramiento, que días atrás era considerado como una manifestación de la decadencia occidental, ahora es visto como una forma de santidad y misticismo. *Eros* es un hecho tan real y concreto como el aire que respiramos: negarlo es una estupidez; prenderle velas, también.

Para no sufrir

Disfrutar la sexualidad en pareja sin estorbo

- Cuando una pareja se consolida, *eros* debe seguir allí, rondando e inquieto. Un matrimonio sin *eros* es como un organismo sin oxígeno. Si estás con una pareja estable y la amas de verdad, debes prestar atención a la sexualidad, es decir, debes alimentarla y cultivarla. Nada hay prohibido, si no es dañino para ti o para el otro. Entonces, ¿cuál es el problema? ¿Por qué la rutina?
- Sexo creativo, juguetón, avanzado y descarado, que te haga descubrir quién eres en cada caricia. Una relación sexualmente predecible, plana e insulsa acaba con el encanto del asombro. Si sientes que no hay erotismo en tu relación no te resignes, saca a relucir tu rebeldía, activa la imaginación y si él o ella se escandaliza, confróntalo, comunícate, expresa tu verdadera necesidad, sin tapujos ni vergüenza. Nadie tiene que vivir reprimido ni esconder el deseo natural de su sexualidad por pudor o miedo al rechazo de la persona que supuestamente ama. El placer es uno de tus derechos fundamentales y no un exabrupto de mal gusto.
- Una buena relación está basada en la confianza mutua, en las fantasías compartidas y en un erotismo disponible. No

hace falta que tengas ganas las veinticuatro horas, basta con que haya madera para encender el fuego, preludios, insinuaciones, picardía, malicia de la buena. Y si tu pareja se ofende, te rechaza o no te comprende, puedes hacer un intento sincero de hablarle y explicarle tus razones, lo que siente tu cuerpo. *La técnica es la asertividad*: la capacidad de ejercer y defender los derechos personales. Pero si la negativa continúa, no te acoples a la frialdad, no mates a *eros*, no te adhieras al displacer.

• Si tu sexualidad es simple, elemental, casi animal, ausente de toda chispa y no estás contento o contenta, insisto, arma el revuelo. No tienes que empezar una guerra, pero sí una batalla amistosa. Dejar sentado que el amor que sientes no renunciará a *eros* jamás, porque no quieres un amor incompleto o filial. Mi experiencia profesional es que el mejor aliado del sexo es el sexo. Como una bola de nieve positiva que crece y se alimenta a sí misma, la sexualidad atrae sexualidad, el erotismo genera erotismo.

• Que la carencia no sea motivo de sufrimiento, sobre todo si eres mujer. La cultura ha reprimido tu sexualidad y a veces hay un dejo de resignación erótica que se percibe en el miedo a ser mal evaluada. Es claro que si tu pareja te critica por sentir demasiado, debes revisar toda tu relación de punta a punta. Alimenta tu *eros* femenino, duélale a quien le duela, crea sueños, inventa posiciones, disfrázate, embadúrnate de aceites, vuélvete pegajosa, resbaladiza, loca, lanzada, asusta a tu hombre, déjalo con la boca abierta, sin respiración. Que te mire asombrado y exprese un lacónico: "¿Qué te pasó?". Si no es tonto estará feliz con el cambio. La sexualidad es una de las fuentes de placer más poderosas, es el abismo que nos conecta a la esencia desconocida, a lo arquetípico, de donde vinimos y quizás hacia donde vamos. ¿Por qué tendrías que renunciar a ello?

- "Ama y haz lo que quieras", decía san Agustín. Lo que quieras, si hay amor. Y si no hay amor, yo diría: "Haz lo que quieras, pero con cuidado". Y no hablo de cuestiones puritanas, sino de la prevención que se debe tener frente a la propia salud mental. ¿Aventuras? Sí, pero sin afectar la dignidad ni a nadie, sin sentirse utilizado ni crear falsas expectativas frente al encuentro, sin ir en contra de uno mismo en cuestiones de autoestima. La resaca moral y/o psicológica suele ser terrible para quien se arrepiente.

- Sin embargo, aun con todos los cuidados necesarios, aun si aceptamos el placer de una noche sin rumbo, debemos reconocer que es mucho mejor si el afecto está presente. Cuando hay amor y erotismo en cantidades suficientes al mismo tiempo, la sexualidad es trascendencia.

En una buena relación de amantes o de pareja
no hay aburrimiento ni fastidio postcoito

- ¿Después de hacer el amor con tu pareja sientes que has perdido algo en vez de haberlo ganado? ¿Llega el vacío, hay incomodidad o simplemente recuerdas que tienes cosas que hacer y te retiras? El amante puede estar orientado exclusivamente al placer inmediato o también al postcoito, a lo que permanece después de la tempestad, al regusto. Pregúntate qué sensación te queda luego de hacer el amor, ése es el test. Una buena relación de amantes se extiende más allá del orgasmo, se profundiza en otras afinidades distintas a las fisiológicas. No se trata de soportar a tu pareja después de haberte satisfecho sexualmente, sino de saltar a una nueva dimensión igualmente placentera.

- ¿Sufres porque te gustaría que hubiera algo más que sexo? La retirada de *eros* es un examen que nos muestra el sustrato vital que une a los amantes. La biología no basta para que estés contento o contenta, algo similar a lo que ocurre cuando tienes hambre. Una vez que te alimentas, las ganas de comer desaparecen y la comida produce fastidio, a no ser que seas un amante de la cocina y que lo que te una a la comida sea mucho más que saciar la urgencia. El buen gourmet, el que hace de la alimentación un arte, puede llegar a degustar más y mejor un alimento con el estómago lleno que con apetito, porque las ansias de querer comer alteran el sabor en sí. Ningún catador de vinos podría hacer una evaluación satisfactoria si estuviera muerto de sed. Cuando el deseo sexual se aplaca, la percepción del otro se agudiza, se hace más clara y contundente. Cuando *eros* se va, se abre una puerta más serena, más amable. Sin el peso del deseo podemos estar juntos de otra manera, si hay con qué.

- Si hacer el amor te confronta y te lleva a la desazón, al sinsabor posterior, al retiro más que al encuentro, le está faltando *philia* a tu relación. El placer sin alegría es una forma de masturbación a cuatro manos.

- La pregunta que debes hacerte, entonces, es qué tantas posibilidades tienes de transformar ese aburrimiento, esa incomodidad esencial, en diversión. Pregúntale a tu pareja por qué se queda anclado o anclada al silencio. ¿Hay ternura después del clímax, se acomodan los cuerpos a una especie de cóncavo/convexo automático donde cada uno se abandona en el otro de manera agradecida o hay aversión? ¿Cara a cara o espalda con espalda?

- El dolor te llega cuando sientes el desierto después de la llamarada, cuando te das cuenta de que la entrega no es suficiente, que no prospera. Y es apenas comprensible. Pero no tienes por qué resignarte a la apatía del desamor, a la dictadura de una sexualidad que se agota a sí misma. Es preferible la soledad digna y sin conflicto, que una relación incompleta en la que la carencia manda. No digo que no lo intentes, sino que estés preparado o preparada para un posible resultado adverso. Los sufrimientos que no nos permiten crecer son inútiles.

- *Eros* necesita de *philia* para ahondar en el amor, no hay vuelta de hoja. Hay amantes que se ven una vez por semana, hacen el amor y salen despavoridos hasta que la premura hormonal los empuje nuevamente al encuentro. Pero con la pareja estable uno espera más, quizá la confabulación, la conversación apacible, el último chisme, la honestidad que surge naturalmente cuando bajamos todas las defensas. Se trata de hacer el amor con el mejor amigo o la mejor amiga, ésa es la esencia de un amante feliz.

- La mayoría de la gente que está afectivamente insatisfecha se autocompadece, se deprime, hace mea culpa y se abandona en el dolor, en lugar de ser asertiva y expresar abiertamente lo que está sintiendo. Una paciente enfrentó así la cuestión: "Mira, esto no está funcionando, me aburro después de hacer el amor, cuando tengo el orgasmo siento que me quiero ir y creo que a ti te pasa lo mismo. Sólo nos acerca el deseo. ¿Qué clase de relación es ésta? Así que te propongo que fijemos una posición clara y definitiva: o hacemos algo para cambiar este juego insulso o prefiero que esto se acabe y aburrirme sola, al menos estaría libre". Tomar al toro por los cuernos.

• A manera de conclusión. Si tu pareja te dice que no necesita sino a *eros* y, sin embargo, tú esperas más, ya tienes el
problema solucionado: nada que hacer. Si, por el contrario, cuando *eros* se aleja experimentas un gran vacío, con-
centra tu energía en comprender qué pasó con la amistad
que antes los unía. Pregúntate qué le falta a tu relación,
por qué se aburren cuando *eros* se sacia, hablen de ello
hasta el cansancio. Al pensar en sexo, primero salgan, di-
viértanse, dejen que unos vinos se les suban a la cabeza, en
fin, pásenla lo mejor posible, y sólo después, cuando la risa
haya aflorado otra vez, busquen la cama. Deja que el deseo
se reinvente a sí mismo y se proyecte más allá del orgasmo,
tú sólo debes preparar el terreno para recuperar a *philia* o
comenzar a crearla, si no existe.

3. Enamoramiento y atracción: ¿qué nos seduce?

Los caminos que conducen al enamoramiento son innumerables. La historia personal, la edad, las condiciones concretas de vida, los gustos, los valores que aprendimos, en fin, el enamoramiento es multideterminado. No obstante su complejidad, hay algunos elementos que tomados en conjunto parecen aclarar un poco el panorama de por qué alguien nos gusta. Veamos en detalle cada uno de ellos.

Belleza y poder

Una mujer bella y coqueta puede resultar tan peligrosa como un hombre de chequera abultada. Cuando un varón está acompañado por una mujer muy atractiva, aumenta su imagen social:[33] *dime con qué mujer andas y te diré cuánto cotizas.* En el caso inverso, la predicción no se cumple: la evaluación de la mujer depende exclusivamente de su atractivo personal:[34] *no me importa con quién andas, si eres bella, eres atractiva de todos modos.*

Uno de mis pacientes reunía todas las debilidades típicas masculinas frente al sexo opuesto. Le gustaban las mujeres mucho más jóvenes (quince a veinte años menores), altas, delgadas y sinuosas, de pelo largo y rostro aniñado. Su vida amorosa se reducía a una lista interminable de rechazos afectivos, similar a la de un Don Juan en decadencia: "Valgo por lo que consiga y no consigo nada". Los varones adictos a la belleza femenina suelen terminar solos, mal casados o con un cúmulo de separaciones en su haber.

La premisa más saludable para un hombre de aspiraciones estéticas exigentes es como sigue: "Siempre habrá alguien mejor que tú, más fascinante o más seductor, que pueda desplazarte o resultar más atractivo para tu conquista de turno. Las mujeres muy bellas cuentan con un ejército de hombres a su alrededor dispuestos a todo para atraerlas". No digo que haya que buscar una persona desagradable para enamorarse, pero una cosa es el buen gusto y otra la adicción a la belleza. Las mujeres "normales" generan una especie de tranquilidad erótica en los hombres inseguros.

En casi todas las culturas, el rostro femenino de mayor atractivo es aquel de aspecto infantil, ojos grandes y separados, nariz y barbilla pequeña, sonrisa amplia y cejas altas.[35] La búsqueda de este ideal de belleza funciona como una trampa para muchas mujeres, que tratando de ser hermosas terminan en verdaderos cuadros adictivos.[36] Aun así, sin pretender desconocer la responsabilidad que los varones tenemos en esta carrera desenfrenada por alcanzar la perfección física, pienso que las mujeres se arreglan (maquillan, peinan, visten) más para las mujeres que para los hombres.

Veamos un ejemplo representativo de lo que afirmo. Se abre la puerta de un bar animado y entra una mujer, no importa su edad o si está acompañada. De inmediato, como movidas por un resorte invisible, la mayoría de las allí presentes, sin el menor disimulo, dirigen su atención a la recién llegada. No es un simple reflejo de orientación, sino fisgoneo consciente e intencional. Entonces, en milésimas de segundos, comienza un escaneo sistemático de todas contra una: pelo (teñido o natural), frente, párpados, ojos (color, forma y tamaño), nariz (modificada, no modificada o mal modificada), papada, calidad de la piel, tamaño del busto, proporción cintura/cadera, nalgas (rematadas, proyectadas o tipo mandolina napolitana), piernas, marca y diseñador posible de la vestimenta, forma de caminar, número y profundidad de arrugas, entre otras. Luego, hecha la evaluación, se termina la curiosidad y todo regresa a la normalidad: la recién llegada pasa a formar parte de la legión de observadoras que volverán a su actividad cuando otra mujer atraviese el umbral.

En una encuesta no formal que se realizó con ciento cincuenta mujeres que asistían a terapia psicológica, se les preguntó para quiénes se arreglaban cuando debían asistir a un acto social. La gran mayoría dio respuestas mixtas, sin embargo, reconocieron que de una manera u otra, las demás mujeres eran tenidas en cuenta durante el proceso de embellecimiento: "Me arreglo para que ellas me envidien", "Me arreglo para mi pareja y además para que esas brujas no me critiquen", "Me arreglo para los hombres, pero sin olvidarme de ellas". Sólo a unas pocas, generalmente las que tenían la autoestima elevada, les importó un rábano la opinión de las otras mujeres: "Me adoro y me adorno... El que se embellece es mi ego... Lo demás no interesa".

Los hombres también criticamos a las mujeres, pero somos más toscos y menos detallistas a la hora de analizar los atributos femeninos. A los varones nos interesan más las protuberancias que las arrugas, más el color de la piel que la calidad, y no distinguimos de manera tan eficiente lo artificial de lo natural.

Una de mis pacientes llevaba ocho cirugías estéticas tratando de mantener activo el deseo de su marido. En una ocasión el hombre me dijo: "Cada vez que se somete a una cirugía, me siento con una mujer nueva... El problema es que después me acostumbro y ya no es lo mismo". Es claro que la novedad no puede estar solamente en las reconstrucciones anatómicas. *Eros* es una combinación de varios atributos, en la que la atracción física es sólo uno de ellos. Basta con observar la cantidad de mujeres bellas y voluptuosas que han sido reemplazadas por otras no tan hermosas o incluso feas. Algo similar ocurre con muchos varones poderosos que fueron sustituidos por hombres comunes y corrientes. El *sex appeal* que mantiene el deseo vivo requiere cierta picardía y encanto que no se obtiene siempre con dinero o cirugías.

En general, las mujeres ofrecen belleza y buscan seguridad financiera, mientras que los hombres ofrecen posición financiera y solicitan belleza.[37] Por más que las feministas hagan pataletas, y posiblemente con razón, para la mayoría de las señoras y señoritas, el varón exitoso atrae. A las mujeres les gustan los hombres dominantes, inteligentes, ambiciosos, altos y fuertes,[38] y si son "bonitos", mejor, mucho mejor.

Prestigio, poder y posición: las tres P que ponen a tambalear a más de una. Cuando escucho decir: "¿Para qué un jet privado, un Mercedes Benz convertible, viajes por el mundo y una mansión, si no hay amor?", mi respuesta suele ser: "No cabe duda... Pero, si hubiera amor, ¿no sería recomendable aprovechar todo ese valor agregado?". El dinero es sexy, aquí y en China.

Y en cuanto a la belleza masculina, opino que la fealdad no es tan atractiva para las mujeres como se ha querido mitificar. El dicho que asevera: "El hombre es como el oso, cuanto más feo más hermoso" debe haber sido un invento de los feos. Los hombres "lindos", tipo Brad Pitt, producen tanto revuelo en las huestes femeninas como un terremoto, y ni qué hablar del impacto que generan algunos "maduros guapos" como Sean Connery o Harrison Ford.

La sugerencia que le hice a mi paciente adicto a la belleza femenina la hago extensiva también a las mujeres: *los hombres bellos y poderosos suelen tener un cortejo de admiradoras dispuestas a todo.* Competir con ellas, además de imposible, es estresante, ya que siempre habrá alguna más bella, más joven o incluso más exitosa.

Mejor un varón normal, ni tan alto ni tan opulento, uno que se acurruque en tu regazo de vez en cuando, que te pida consejo, que te haga sentir la mujer más hermosa y extraordinaria del mundo, aunque no lo seas (¿qué importa la objetividad, si nos sentimos amados?). Mejor un hombre que pase desapercibido para la competencia: más calma y menos mala sangre.

La personalidad seductora

Un hombre bien parecido o una mujer con un cuerpo escultural pueden perder todo su encanto con sólo abrir la boca. Aun así, *eros* no decae necesariamente ante la estupidez. Si la intención es tener sexo puro, aunque el cociente intelectual de la candidata o el candidato esté próximo al retraso leve, nos aventuramos al "sacrificio": "No lo quiero para jugar ajedrez, ni para casarme, ni para hablar de filosofía, lo quiero para llevármelo a la cama... ¿Queda claro?", me replicaba una mujer cercana a los cuarenta años encaprichada con un hombre de veintiséis.

El caso inverso también puede darse: personas no muy atractivas físicamente pero que debido a un buen repertorio sensual/seductor puedan llegar a inquietarnos positivamente. Una mujer con un pantalón ajustado, bien puesto y bien llevado, puede producir delirio colectivo entre los varones, así su cuerpo no sea perfecto, mientras que el mismo atuendo en una mujer mucho más hermosa, pero sin garbo, no consigue otra cosa que despertar el natural reflejo de orientación masculino. Un hombre bien vestido puede tener una forma de caminar tosca que le quite atractivo, mientras que otro puede mostrar un porte aristocrático que lo hace parecer interesante y hasta seductor, aunque no lleve puesta ropa de marca. Cómo manejamos el cuerpo, cómo lo movemos, cómo nos insinuamos, qué decimos y cómo lo decimos es fundamental para que *eros* entre en acción.

Una mujer exhibicionista y además simpática puede "enamorar" a más de un hombre. De manera similar, un hombre que logre mezclar la pinta de Tom Cruise con la soltura poética de Cyrano de Bergerac podría hacer desastres entre las señoras de corazón sensible. No olvidemos que para la mayoría de las mujeres el tono romántico y las palabras amorosas pueden producir tanto o más efecto que la apariencia física, no así en los hombres, quienes somos definitivamente más visuales que auditivos.[39]

Recuerdo el caso de una paciente que era incapaz de tener fantasías eróticas. Cada vez que le sugeríamos alguna visualización de imágenes sexuales, automáticamente las "contaminaba" de afecto. Si le pedíamos, por ejemplo, que se imaginara estando desnuda con su marido en una playa, ella organizaba el argumento de tal forma que se veía a sí misma caminando abrazada a él y recostada en su hombro. Cuando se le insinuaba que pensara en una posición sexual específica que le generara placer, no podía hacerlo sin representarse una escena romántica en la cual su esposo, en pleno acto, la miraba a los ojos con ternura y le prometía amor eterno.

¿Iguales o distintos?

En ocasiones, *eros* necesita un toque de misterio o de incertidumbre para funcionar bien. Al menos la aventura, el riesgo, lo desconocido y el reto pueden obrar como un factor estimulante en muchas personas.[40] En una investigación se invitó a un grupo de mujeres a que inhalaran el aroma de unas camisetas empapadas con sudor masculino y luego se les pidió que escogieran las camisetas que consideraban más sensuales. La mayoría de las participantes eligió las prendas de los individuos que tenían un sistema inmunológico distinto al de ellas.[41] Cuando de *eros* se trata, en la diferencia está el placer.

Una mujer felizmente casada desde hacía ocho años, madre de dos hijos y absolutamente fiel, tropezó en una caballeriza con un joven instructor de equitación que nunca había visto antes. A partir de ese momento, sin mediar palabra, el desconocido se le convirtió en una obsesión. Su descripción fue la siguiente: "Quedé cara a cara con él... No comprendo qué fue lo que me pasó, es imposible explicarlo con palabras... Fue un balde de agua fría... Quedé entre fascinada y petrificada, clavada en el piso, boquiabierta, como si hubiera visto un fantasma... Él me saludó y yo no le contesté... El hombre no es atractivo, es poco refinado y nada culto... A mí siempre me habían gustado los hombres impecables y los ejecutivos de corbata, así que no me explico... Desde ese día no puedo dejar de pensar en él".

En realidad, la ciencia no tiene respuestas claras para explicar la atracción sexual imprevista y aparentemente ilógica. ¿Elección inmunológica, recuerdos inconscientes, un mecanismo de transferencia no detectado, necesidad insatisfecha, ganas de amar o simple naturaleza? En el caso de la caballeriza hubo un clic "inexplicable" que movilizó de manera vigorosa el deseo de mi paciente. Nunca sabremos con exactitud qué ocurrió. Seis meses después, el encaprichamiento había pasado totalmente.

Eros trasciende lo cognitivo, lo razonable, los "debería", y muchas veces nos pone en situaciones que no logramos comprender. Podemos enamorarnos de nuestros peores enemigos (la historia está llena de ejemplos) y desear de manera irracional a quienes nos hacen daño (los consultorios psicológicos están repletos de pacientes con adicción afectiva). ¿Amar al verdugo? Difícil de comprender, como cualquier otra perversión, pero existe.

Admiración/afinidad

No es que la admiración produzca orgasmos, pero crea las condiciones para que se den. Cuando vemos a una persona del sexo opuesto con algún atributo que admiramos, de inmediato la mente orienta su atención hacia él o ella. Nos interesamos y la observamos de un modo especial (incluso le perdonamos algunos defectos físicos). La admiración obra como un moderno y evolucionado sistema de atracción, que reemplaza los primitivos estímulos visuales por unos más sutiles y elegantes. Si la admiración nos lleva al "amor pasional", lo hace a través de un *bypass* que crea la cultura y exalta la mente.

A *eros* casi nunca lo vemos llegar, por eso decimos: "Está enamorado" o "Se enamoró". No nos damos cuenta de cómo evolucionó el sentimiento, simplemente ocurre, nos llega de afuera, ésa es la sensación. En cambio, en la admiración/afinidad podemos detectar la aparición del proceso afectivo, por eso decimos: "Me estoy *enamorando*". El gerundio implica algún tipo de *philia*, algo más que *eros*.

En la admiración, lo erótico es indirecto. Por ejemplo, si nos gusta la música y estamos asistiendo al concierto de un pianista excelso, es muy poco probable que nos excitemos sexualmente con la ambientación (a no ser que los instrumentos sean nuestros fetiches), más bien nos encantamos ante la majestuosidad de su ejecución, aplaudimos el don, erotizamos al intérprete y lo hacemos a sabiendas. No sé qué sustancias se dispararán en ese caso, pero hay un coqueteo virtual, una fantasía sofisticada de alto vuelo que nos pone muy cerca de *eros*, un *eros* más elaborado, pero *eros* al fin. Para la gente sensible, el virtuosismo es un potente afrodisiaco.

Una persona brillante, que además se destaque en alguna área de nuestro interés, ganará automáticamente puntos en su atractivo, aunque no sea muy bella físicamente. Esto no garantiza la aparición de *eros*, pero sus probabilidades se incrementan notablemente. Dadas ciertas condiciones, podemos entrar al deseo o al enamoramiento desde la admiración, incluso desde la afinidad, si no se convierte en tedio. Tener gustos similares y no tener que explicar el chiste es sin duda un comienzo interesante.

Pongamos el caso de dos personas que comparten la pasión de un pasatiempo, un deporte o una profesión de manera constante. ¿No obrará entre ellos una forma de condicionamiento clásico donde de tanto asociar la persona compañera a la emoción positiva que nos produce la actividad, ella misma se convierta en placentera? Si nos une una pasión en común, ¿no habrá un carácter transitivo, una transmutación del deseo hacia el otro a partir de la coincidencia? Eso explicaría por qué muchos amantes son compañeros de trabajo o próximos en la vocación.

Insisto, en la atracción por admiración hablamos de un proceso psicoafectivo que no va directo al corazón sino que pasa antes por la corteza cerebral, abre puertas y ventanas, y se expone conscientemente a que la pasión haga de las suyas. La admiración seduce, gana adeptos, genera curiosidad. Ya no se trata de iconos primitivos sino de la cualidad humana, ya no es el penacho rojo o la cara pintada la que induce el acercamiento, sino el símbolo y la metáfora.

Aun así, debemos reconocer que la admiración no siempre alcanza el umbral del deseo. Hay ocasiones en que el físico no ayuda y no debemos olvidar que el cuerpo también decide en su sabiduría. Admiramos a muchas personas que no deseamos sexualmente y deseamos a muchas que no admiramos. Recuerdo el caso de una jovencita muy atractiva cuyo mejor amigo se enamoró de ella. El problema era que la muchacha lo apreciaba y lo admiraba, pero no lo veía ni lo sentía como hombre. Veamos parte de una conversación que sostuve con ella.

TERAPEUTA: ¿Dices que él esta enamorado de ti?

ELLA: Sí, me dijo que yo le gustaba desde hace mucho... Pero no sé.

TERAPEUTA: ¿Por qué no le das una oportunidad? Estás disponible, rompiste con tu novio hace meses, ¿por qué no?

ELLA: Me gustaría, sí... Pero él no me parece atractivo.

TERAPEUTA: ¿No es tu tipo?

ELLA: No, no lo es.

TERAPEUTA: ¿Y no podría llegar a serlo?

ELLA: Es que nunca me han gustado los gordos... Yo le digo "Gordis", cariñosamente... Además, yo soy más alta, le llevo como diez centímetros... Me siento muy superficial al decir esto.

TERAPEUTA: ¿Lo admiras?

ELLA: Mucho. Tiene infinidad de valores... Es bueno, me hace reír, me cuida, es inteligente, su familia me cae bien.

TERAPEUTA: Me estás describiendo al novio perfecto.

ELLA: Lo sé, y por eso me da rabia... No debería importarme el físico... Pero el hecho de que él sea buena gente no es suficiente para que me provoque darle un beso...

TERAPEUTA: Entiendo, no debes hacer lo que no te nazca. No tienes por qué violentarte. El amor es así, no siempre coincidimos.

ELLA: Sí, es verdad. No tengo la obligación de quererlo o de que me guste... Yo sé que el amor no se impone, usted ya me explicó eso. Pero de todas maneras me siento mal.

Con el tiempo la amistad no aguantó tanta tensión y cada cual siguió su camino. Pese a las afinidades, *eros* estaba ausente. El organismo tiraba para otro lado, faltaba la magia del deseo, el clic que ya vimos. Rousseau decía que "por encima de la cabeza está el corazón", y Pascal afirmaba que "el corazón tiene razones propias que la cabeza nunca podrá entender".[42]

De todas maneras, la admiración y la amistad nos enseñan que *eros* no siempre llega como una tromba. En ocasiones lo hace con ternura, como una brisa suave, como un reconocimiento silencioso. Veamos dos relatos que ejemplifican lo anterior.

El primero lo escribe un muchacho estudiante de música a su novia:

> Cuanto te vi por primera vez, me gustaste por completo. Me agradó tu olor, tu sonrisa, tu manera de caminar. Eras coqueta y tenías un cuerpo espectacular. Me quedé fijado en un hoyuelo y en la forma recta de tus hombros. Sentí una atracción profunda, casi musical. Y me enamoré de inmediato. No hubo agitación ni desesperación, sólo una sensación de paz indescriptible.

El segundo es parte de un poema, "Nacimiento del amor", de Vicente Aleixandre, premio Nobel de literatura en 1977:[43]

> ¿Como nació el amor? Fue ya en otoño.
> Maduro el mundo,
> no te aguardaba ya. Llegaste alegre,
> ligeramente rubia, resbalando en lo blando
> del tiempo. Y te miré. ¡Qué hermosa
> me pareciste aún, sonriente, vívida,
> frente a la luna aún niña, prematura en la tarde,
> sin luz, graciosa en aires dorados; como tú,
> que llegabas sobre el azul, sin beso,
> pero con dientes claros, con impaciente amor!

En cada ciclo de la vida la pasión adopta distintas formas de expresión; no obstante, más allá de la indiscutible fuerza que la define, hay un trasfondo que permanece estático, inalterable al tiempo, una consigna que aún está por descifrar.

Para no sufrir

Tienes derecho a sentirte atractiva o atractivo, independientemente de lo que digan los "expertos" en belleza

- ¿Sientes que tu pareja ya no te desea como antes? A veces, aunque nos parezca desproporcionado, sentirse no deseado puede ser tan doloroso como sentirse no amado. No gustarle a la persona que amamos es una catástrofe para la autoestima. Cuando el enamoramiento está en pleno furor, la atracción es un hecho incontrovertible, no importa que seas feo o fea, *eros* hará que te veas como el ser más hermoso. El problema aparece cuando al cabo del tiempo *eros* deja de cumplir su función embellecedora.
- Si tu autoimagen es buena, soportarás la caída de *eros*. No pondrás la belleza afuera, sino en tu interior. No dejarás que los "expertos en belleza", que entre otras cosas no existen, definan tu valía estética. Si eres mujer, una vez más, el impacto del cuerpo es mayor. Te propongo reflexionar sobre los siguientes puntos para que los integres a tu base de datos y generes un esquema de inmunidad frente a tu imagen corporal y a la posibilidad de seducir a tu pareja como mejor te plazca.

1 | Arréglate para ti, sin olvidar a tu pareja

- Puedes entrar en la desidia sexual, si tu pareja no te ve atractiva o atractivo. Si la crítica es que no tienes ojos verdes o no cumples con la estatura adecuada, pues no hay mucho que hacer fuera de indignarte y revisar qué tanto se justifica seguir con una relación donde no te desean. Recuerda que siempre habrá alguna persona que te vea hermosa o hermoso. A esta hora, en algún lugar del mundo hay alguien que estaría feliz de tenerte.

- No obstante, la mayoría de las veces se pueden congeniar los gustos, al menos en lo fundamental. No digo que sea fácil, sino que vale la pena intentarlo. Si te gusta andar todo el día de jeans y a tu mujer le gustas más de traje y corbata, puedes hacer una variación, crear momentos especiales para darle gusto o alternar. No tiene sentido que defiendas los jeans como un principio moral no negociable. Si a tu marido le gusta que uses faldas cortas de vez en cuando, ¿por qué no? Podrías argumentar que la falda no te queda bien o que te agradan más los pantalones, pero, aun así, ¿no vale la pena revisar ese criterio y flexibilizar un poco tu estilo personal?

- Arréglate para ti, pero no olvides que la forma en que lo hagas influirá significativamente en el *eros* de tu compañero o compañera. Nadie duda que la pareja nos atrae más cuando se acomoda a nuestro fetiche, cuando exalta nuestros sentidos, cualesquiera que sean ellos. No subestimes tu apariencia. No te pierdas el disfrute de adornarte y gustarte. No te escapes del espejo, es verdad que es indiscreto, pero ayuda. Y si pese a tu buena intención tu pareja te rechaza, no te critiques ni te autocastigues, habrá alguien con mejor gusto. La belleza es una actitud: si te sientes bello o bella, lo eres.

2 | Exalta tus encantos y utiliza la seducción

- Mostrar tus encantos naturales no es un acto de mal gusto ni de exhibicionismo barato: se llama sensualidad, coquetería, no es frivolidad sino seducción. *Eros* responde a las insinuaciones, no obra en frío ni guiado por la objetividad. *Eros* tiene puntos sensibles que escapan a toda lógica, y ésos son los que debes activar. Pero si tu creencia es que el amor "puro" no necesita de galanteo y persuasión, estás fuera de foco.

- Una de las ideas más ridículas que se ha generalizado en nuestra cultura es que el amor erótico no requiere de otro ingrediente que el sentimiento mismo, es decir: si te amo, entonces *necesariamente* te deseo. Nada más erróneo. Precisamente, el descuido personal (no me refiero a la belleza sino a la sensualidad) hace que con los años muchas personas dejen de desear a sus parejas, aunque las quieran. Afecto sin deseo: hermanos del alma. ¿De dónde sacas que no debes seducir a tu mujer o a tu hombre? ¿Has visto la cara de felicidad de tu marido cuando te le insinúas de la manera que a él le gusta? ¿Recuerdas la expresión de tu esposa cuando decidiste ser romántico? *Eros* manda, pero hay que ayudarle.

- Si estás sufriendo porque no te sientes deseada o deseado, piensa hasta dónde eres responsable por ello. ¿Cómo estimulas a la persona que dices querer? ¿Realmente lo haces o simplemente crees que existe una forma de inercia erótica que se alimenta a sí misma? ¿Por qué crees que las parejas hacen el amor con más frecuencia cuando llegan de una fiesta? Es sencillo: se ven mejor, huelen mejor, están mejor vestidos, hay un toque sexy en esto del arreglo personal. A veces nos sorprendemos cuando en un coctel cualquiera vemos a nuestra pareja deslizarse elegantemente entre la gente, y pensamos: "No está nada mal, si la viera hoy por primera vez me parecería atractiva y trataría de tener algo con ella". Pero después de un día de trabajo, la cuestión cambia. No es que no haya amor, de hecho *philia* y *ágape* pueden estar presentes, pero *eros* necesita a veces maquillaje, menos barba, frescura, descanso.

- De ti depende mantener a *eros* en plena actividad. No obstante, si eres una persona tímida, inhibida o un tanto moralista, la cosa se complica. Si te sientes ridícula haciendo la danza de los siete velos, lo entiendo, pero si esa sensación también está presente cuando cruzas las piernas o caminas frente a un grupo de hombres que te mira, la cuestión puede requerir ayuda profesional. Una paciente me decía que ella se sentía como una prostituta cuando intentaba seducir a su marido, porque en el amor "verdadero" eso estaba de más. El hombre la dejó por una mujer fea y menos culta, pero con un atractivo especial para él: era sexualmente pícara y atrevida. No olvides que a veces entramos al amor por *eros*.

- Sentirse lindo o linda no es suficiente para producir en la pareja un revolcón erótico. Hay que tener personalidad seductora, y yo pienso que todos disponemos de ella. Si te lanzas al ruedo, descubrirás que eres mucho más sexy de lo que crees. En tu interior hay un animal sexual dispuesto a saltar y a soltarse de la rienda de los prejuicios. Puede ocurrir que tu pareja se asuste, es verdad, pero eso no justifica que te acomodes al discreto encanto de un sexo programado y sin imaginación.

- Cada pareja debe hacer su propia revolución sexual y revisar sus protocolos de seducción erótica de tanto en tanto. Tienes el derecho a una vida sexual plena y saludable. Si no la has logrado, no te quedes añorando lo que podría haber sido y no fue. Métete el orgullo en el bolsillo e intenta conquistar a tu pareja sin que ello implique humillarte, busca sus puntos débiles, explora sus zonas erógenas, llega a su punto G, arrástrala a la manía. No hay malos amantes, sino malos estimuladores.

3 | La belleza física no es imprescindible para el placer sexual

- La belleza física puede ser un disparador de *eros*, pero tal como dice el refrán, en la cama todo el mundo se parece. No añores a la supermodelo o al actor de telenovela. Es probable que en su vida privada no sean muy distintos a ti. Por pura estadística, la mitad son malos amantes. Humanízalos, bájalos del pedestal. A casi todo el mundo le ha pasado alguna vez que la fantasía se hace añicos cuando la llevamos a cabo. Si no hay más que belleza, a la tercera o cuarta relación sexual se pierde el encanto.

- El acoplamiento sexual es mucho más complejo que el gusto estético. Se trata de compatibilidad anatómica, más que contemplativa. El olor, el sudor, el tipo de piel, la manera de apretar y soltar, el sabor de los besos, algunas curvas que se convierten en fetiche sin darnos cuenta, el ritmo y la cadencia al caminar, lo que se dice y cómo se dice, el preludio y el epílogo, el aliento, la ropa interior y exterior, la fortaleza y la ternura, en fin, todo esto junto y a la vez. ¿La belleza? Sí, también influye en *eros*, pero no tanto como crees. La manera en que llevas tu cuerpo es quizá más importante que el cuerpo mismo.

- ¿Nunca te ha pasado que alguien que te atrae fuertemente no coincide con tu ideal de hombre o mujer? Y es que la química no sólo está en los rasgos, ni en la cara bonita; hay algo más primitivo, mucho más vital que nos indica *quién* es, aunque no tengamos claro *por qué* es.

- No niego que una persona muy atractiva físicamente genere revuelo a su alrededor; sin embargo, pienso que los Adonis y las Venus están lejos de uno, muy lejos del promedio. Si tienes complejos con tu aspecto físico, mira a tu alrededor y verás que la mayoría de los seres humanos están emparejados con gente común y corriente. No te rodees de personas que lo único que hacen es pensar en su aspecto físico. Eres mucho más que piel y huesos. Eres el conjunto vivo y armonizado de infinidad de atributos que pueden enloquecer de placer a cualquiera, si te dispones a ello.

4. La patología del amor erótico

Para los griegos, *enamorarse* era sinónimo de *enloquecer*. El "amante" era el sujeto portador de la pasión, y la "amada" o el "amado" un objeto pasivo que recibía ese amor. Por la simple vista del ser amado, el enamorado se debilitaba y quedaba impávido y deslumbrado, como si lo hubieran herido con una flecha envenenada. No había espacio para la razón: *eros* infundía manía (locura mística) y *nósos* (enfermedad).[44]

En la actualidad, los viejos encantos del delirio amoroso han quedado relegados a la psicoterapia y la farmacología. Ya no son los dioses los responsables de la exaltación afectiva, sino las alteraciones bioquímicas y los traumas psicológicos.[45] Más concretamente, algunos investigadores han asociado el enamoramiento a un trastorno mental específico llamado hipomanía:[46] una alteración cuya característica principal es la manifestación de un estado de euforia y optimismo exagerados. De manera similar a lo que ocurre con el enamoramiento, las personas que sufren de esta enfermedad son expansivas, promiscuas, exageradamente alegres, hiperactivas y arriesgadas, lo que las convierte en un fácil blanco de *eros*.

Aunque no es lo más frecuente, en ciertas ocasiones, la hipomanía (mientras dura) puede llegar a ser productiva y afortunada para quien la padece. Recuerdo el caso de un paciente de sesenta años que cuando estaba bajo los efectos de la hipomanía se transformaba en una persona muy arriesgada y lograba concretar los mejores negocios. En cierta ocasión, contra la opinión de la mayoría, el hombre compró diez mil sillas para playa y las vendió al doble del precio a la semana siguiente. Después de varias actividades comerciales afortunadas, los familiares me preguntaron si no era posible curarlo solamente "un poco". La historia está repleta de artistas exitosos y genios que padecieron enfermedades maniaco-depresivas altamente fructíferas. Quizá por una cuestión de respeto a quienes la sufrían, se utilizaban términos más amigables como "temperamento artístico" o "inspiración creadora".[47]

Retomando el tema de los "locos amores", podríamos decir que en determinadas circunstancias, cuando el enamoramiento se combina con ciertas predisposiciones a los trastornos mentales, el resultado puede ser una verdadera bomba de tiempo y una fuente inagotable de sufrimiento.

Silvia era una mujer de treinta y siete años que no había sido exitosa en asuntos del corazón. A decir verdad, sólo había tenido dos experiencias afectivas: una en la adolescencia, que duró unas pocas semanas, y otra durante la época universitaria que no trascendió más allá de unas pocas relaciones sexuales. No se sentía atractiva y consideraba que el amor no tenía cabida en su vida. Buscando ampliar el pobre ambiente motivacional en el que se encontraba, le sugerí que asistiera a un taller de escritores y que intentara recuperar una antigua vocación que había prevalecido en su juventud. Para mi sorpresa, al poco tiempo de frecuentar las reuniones literarias comenzó a salir con el director del grupo, un hombre mayor, muy respetado en el medio y apetecido por las demás mujeres. Silvia no podía creer que semejante hombre se hubiera fijado en ella, lo cual le producía una mezcla de regocijo y miedo: "Me parece increíble que yo esté saliendo con él, me siento halagada, pero temo que se canse de mí".

La relación siguió un curso más o menos normal hasta que tuvieron el primer encuentro sexual. El impacto fue tal que Silvia creyó que se trataba de un cuento de hadas: comenzó a perder el sueño, a manifestar ideas de grandeza, a mostrarse hiperactiva y con una necesidad sexual exagerada. Cuanto más relaciones tenía, más se agudizaban sus síntomas. Finalmente tuvo un cuadro maniaco y no volvió a su casa ni al trabajo. Su familia la dio por desaparecida, hasta que una semana después la encontraron en una ciudad balnearia, vagando por las calles, predicando un mensaje de bienaventuranza que, según ella, los apóstoles le habían entregado en persona.

La descripción que hacía Silvia de sus encuentros amorosos bordeaba lo místico: "Siento una luz que me ilumina cuando él me besa las piernas... Desde los pies nace una fuerza inusitada... Sus pies y mis pies... Cuando se juntan adquieren una forma única e irrepetible... Allí se gesta una energía extraordinaria, me transformo en alguien especial, él me transforma, soy su medio, su canal... Todo comienza en los pies y desde allí se irradia a su rostro [lo dibuja]... Es así, ¿ve?, anguloso, profético... Y sus ojos son tan profundos que no necesito que me hable, lo comprendo todo, lo sé todo... Sus besos son lentos, interminables, yo desaparezco en él y comprendo la vida... Todo queda claro".

Luego de seis meses de tratamiento psiquiátrico y psicológico, comenzó a retomar su vida. El amigo escritor hizo mutis por el foro y no quiso saber más nada de ella. Silvia se quedó con una mezcla de hastío y miedo a enamorarse. Su respuesta a cualquier insinuación de volver a conocer a alguien era determinante: "Estoy asqueada del amor, prefiero estar sola". Decepcionada de *eros*.

Silvia era portadora de una vulnerabilidad genética, tal como mostraron los estudios, que se activó ante un acontecimiento afectivo altamente significativo para ella.

En otras personas, el riesgo a sufrir por amor no depende tanto de la biología como de algunos esquemas psicológicos adquiridos durante la infancia. Algunos de ellos son:

- *Pérdida o abandono*:[48] "Necesito compensar el vacío afectivo de mi vida y tener lo que nunca tuve, quiero resarcirme", "No soporto la soledad".
- *Necesidad de aprobación y perfeccionismo*:[49] "Necesito ser amado para afirmarme a mí mismo y debo hacerlo de la mejor manera posible", " La opinión de los demás me hace feliz o me deprime".
- *Inamabilidad y dependencia*:[50] "Si me amaran, yo sabría que soy valioso y me sentiría protegido", "Necesito a alguien más fuerte en quien pueda confiar".
- *Personalidad histriónica*:[51] "No puedo vivir sin amor y sin que me adulen".

La interacción de estos esquemas psicológicos con determinadas experiencias afectivas puede generar alteraciones en la manera de procesar el sentimiento amoroso. Por razones de espacio, solamente me referiré a dos grupos de trastornos: las *secuelas de eros* (miedo a sufrir, anclaje emocional positivo y adicción al amor pasional) y los *delirios de eros* (delirio *celotípico*, que tiene que ver con los celos patológicos, y *erotomanía*, que hace referencia a amores imaginarios).

Las secuelas de *eros*

1 | **Miedo a sufrir**
  | **o el estilo represivo de afrontamiento**

El enamoramiento, debido a su marcada irracionalidad, puede dejar secuelas de todo tipo. Una de las más comunes es el miedo a sufrir. Recordemos la actitud final que asumió Silvia: "No quiero saber más nada, me cansé del amor, ya no quiero sufrir". El costo del amor pasional es tan grande en ocasiones que no se justifica el placer experimentado.

Una manera bastante común de defenderse de los estragos de *eros* es poner una barrera de "dureza emocional".[52] No significa que estas personas pierdan la capacidad de sentir, sino que bloquean mentalmente el afecto antes de que crezca y eche raíces: la mente dice *no*, aunque la fisiología diga *sí*.[53]

Tres ejemplos típicos de cansancio afectivo:

- "Me cansé de sufrir, es mejor estar solo que detrás de un amor imposible", decía un hombre que llevaba más de tres años en un estira y afloja con su amante, quien le prometía una y otra vez que iba a dejar a su marido.
- "Ya no más, prefiero la depresión a la ansiedad", afirmaba una jovencita de apenas quince años con tres fracasos amorosos en su haber. Para algunos, la tristeza es menos dolorosa que la incertidumbre.
- "No sé qué me pasa, cuando me enamoro nadie me corresponde, ya no quiero ser la perdedora", me comentaba una mujer separada, víctima de varios enamoramientos en serie no correspondidos.

Veamos un caso complejo, donde la paciente desarrolló una especie de "amorofobia" que aún perdura.

Clara era una mujer perfectamente normal hasta que fue víctima de un enamoramiento a destiempo, en el lugar equivocado y con quien no debía. Se enamoró de su cuñado, el hermano de su marido, un hombre recién separado, muy inseguro y con tendencias depresivas. Clara siguió el patrón que suelen seguir algunas mujeres con fuerte instinto maternal: primero sienten pesar del hombre y lo intentan ayudar, después se hacen cargo de él y finalmente terminan enamoradas hasta la coronilla. En algunas mujeres, la debilidad masculina obra como un extraño estimulante que las empuja a "adoptarlos".

Durante seis meses ella pasó por un sinnúmero de emociones negativas y muy pocas alegrías. El cuñado sentía tanta culpa como ella y había querido terminar la relación en varias oportunidades, pero Clara, estimulada por un *eros* fuera de control, insistía en que debían seguir a cualquier costo. Su actitud era cercana al desvarío. En una sesión, me contó sus planes: "Me metí donde no debía, pero voy a pelear por el hombre que quiero... Yo sé que usted me dijo que una relación así no tiene mucho futuro... Sin embargo, no me daré por vencida... Si me separo podemos irnos a vivir a otra parte, poner un negocio o yo podría estudiar de nuevo... Mis hijos están grandes... Me llevaría algunas cosas de la casa... Tengo que hablar con mi marido, yo sé que va a entender". Cuando le dije que en estos casos es importante tratar de ser lo más objetivo y realista posible, me sugirió que en la vida había que ser más optimista y me dio una serie de consejos de cómo poder lograrlo.

Un día, cuando ella estaba a punto de hacer público el romance y enfrentar a todo el mundo, el cuñado le dio la mala noticia de que iba a volver con su esposa. Ella entró en pánico (la realidad golpea duro cuando andamos por las nubes). Ante la desesperación de

AMA Y NO SUFRAS

perderlo, amenazó con contar todo a la familia si terminaban, incluso llegó a tener gestos suicidas para manipularlo. Pero el hombre ya estaba en otra cosa y un fin de semana cualquiera regresó con su esposa.

Debido a lo anterior, Clara desarrolló un cuadro depresivo severo y todavía continúa en tratamiento especializado. No quedan recuerdos positivos ni nostalgia de lo que fue aquel amor arrollador, sólo prevalece una profunda aversión primaria. Se ha vuelto más fría con sus hijos, ya no cree en la amistad como antes, y su deseo por su esposo desapareció sin dejar rastros. Está desengañada de la vida y del amor, al cual considera una especie de demonio. Decepción y represión, la muerte de *eros*.

En algunos casos la negación emocional adquiere ribetes aún más dramáticos y las personas configuran una *alexitimia* reactiva, que se caracteriza por un bloqueo generalizado de *todas las emociones*, tanto positivas como negativas (*alexitimia* significa incapacidad de leer y procesar emociones). Esta inhibición afectivo-emocional puede perturbar la salud física de una manera significativa.[54]

2 | Anclaje emocional positivo y adicción al amor pasional

Si la persona que amamos nos dijera: "Lo eres todo para mí", "Mi vida sin ti no tiene sentido" o "Nunca dejes de amarme", tendríamos dos opciones de respuesta: la tradicional y la posmoderna.

En la versión tradicional nos sentiríamos felices porque aseguraríamos la relación, así sea patológica. Es el ideal de cualquier enamorado inseguro o con baja autoestima: "Mi pareja sufre de apego crónico a mí... No me molesta en lo más mínimo, más bien me da tranquilidad".

En la alternativa posmoderna la noticia no sería buena: "Tengo una persona a mi lado que limitará mis acciones, que estará pendiente de cada uno de mis gestos y que se sentirá afectada por cuanta cosa yo diga o haga". La defensa natural ante la pérdida de autonomía: "Te quiero, te amo, pero exactamente hasta donde llega mi salud mental y física". En otras palabras: amar sin suicidarse en el intento.

Como resulta evidente, la mayoría de las personas se adhiere al primer modelo. La cultura occidental ha hecho una asociación irracional entre amor y dolor, de tal manera que *si no sufrimos por amor, entonces no estamos enamorados*. Es la idea platónica de la pasión como ausencia, como miedo o como incompletud.[55]

El apego amoroso es como cualquier otra adicción (juego patológico, dependencia de las drogas o el alcohol).[56] El individuo dependiente del afecto presenta las siguientes características: adhesión exagerada a su pareja, síndrome de abstinencia en los momentos en que la persona amada no está disponible, intentos infructuosos y poco contundentes de terminar la relación, inversión desproporcionada de tiempo y esfuerzo para mantenerse cerca de la pareja y una clara reducción y alteración de su normal desarrollo social, laboral y recreativo.[57]

Un encuentro desafortunado con *eros* puede dejar, al menos, dos secuelas adictivas básicas, ambas relacionadas con el pasado: anclaje emocional positivo y adicción al amor romántico.

El *anclaje emocional positivo* es una forma de testarudez mental que lleva a la persona a quedarse pegada a las primeras etapas del enamoramiento. Se trata de una esperanza mal concebida que se sustenta ilógicamente en la creencia de que *si al principio de la relación todo fue color de rosa, eso debe volver a ocurrir aunque la relación haya decaído sustancialmente*. Muchas veces nos quedamos anclados en los buenos momentos, creamos una imagen radiante y magnificada de lo que fue el comienzo del enamoramiento y queremos repetirlo.

Uno de mis pacientes se negaba a aceptar que su novia ya no lo quería como antes. Reproduzco parte de un diálogo que sostuve con él:

TERAPEUTA: Me dices que ella ya no es la misma, que se acabó la seducción, que ya no es amable ni cariñosa contigo y que incluso a veces no te trata bien, entonces ¿por qué sigues allí?

PACIENTE: Yo sé que ella me quiere, aunque no me lo demuestre igual.

TERAPEUTA: En realidad ella demuestra todo lo contrario. Pasearse con otro hombre frente a tus narices y besarse con él no me parece "un cambio en la manera de amarte".

PACIENTE: Después me pidió disculpas.

TERAPEUTA: Difícil de procesar, ¿verdad? ¿No estás cansado de sufrir y de esperar que ella recapacite?

PACIENTE: Sí, sí... Pero lo que vivimos fue tan maravilloso, ella fue tan especial conmigo.

TERAPEUTA: Eso fue hace ocho meses, eran otras condiciones, estaban en la euforia del encuentro inicial. Los comienzos siempre son encantadores. Lo importante es ver qué queda cuando *eros* se calma.

PACIENTE: ¡Es que yo la quiero!

TERAPEUTA: Pregúntate a quién quieres en realidad: ¿a la mujer que me describes ahora o a la que conociste hace unos meses? Esta mujer presente no es la misma que guardas en tu memoria. Ella ha cambiado, al menos no siente lo mismo por ti.

PACIENTE: ¿Quiere decir que estoy enamorado de una ilusión?

TERAPEUTA: Tu sentimiento tiene un componente de realidad evidente, ella no es totalmente un invento tuyo. Pero creo que estás enamorado de un recuerdo, amarrado al pasado feliz. Además, guardas la esperanza de que ese ser maravilloso aparezca otra vez en tu vida. Cuando pasó la tempestad de la pasión y la novedad, tú quedaste con un remanente afectivo, ella no.

PACIENTE: ¿Y usted cómo sabe si ella no va a volver a ser la misma?

TERAPEUTA: No lo sé. Lo que me interesa saber es hasta cuándo vas a esperar, cuál es tu límite y tu resistencia psicológica. Recuerda que esto te puede enfermar seriamente. Cuando estás frente a ella, su cuerpo, su olor, su voz o su mirada activan tu memoria y la imagen que tanto añoras, eso te impide poder olvidarla o alejarte definitivamente. Insisto: esta mujer no es la que amas, amas a la otra, a la que ya no está.

El hombre se demoró casi dos años antes de resignarse a la pérdida. La mujer llegó incluso a maltratarlo físicamente con tal de quitárselo de encima, y aun así él sólo veía a la novia dulce y amorosa de los primeros días. Hay que aprender a perder, sobre todo en el amor. Es preferible retirarse a tiempo cuando las opciones son pocas; renunciar, para evitar un sufrimiento peor más adelante.

Un segundo tipo de apego es la *adicción al amor pasional*: los llamados "enamorados del amor pasional". O desde un punto de vista más bioquímico y crudo: los adictos a la sensación que produce la feniletilamina. Si nos va bien con *eros*, queremos repetir. Como un adicto al *crack* o cualquier otra sustancia, el organismo busca persistir en la fascinación. Y es apenas entendible: haber sido flechado por *eros* es como haber visitado el cielo, y la mente no deja pasar ningún placer intenso sin intentar retenerlo. Un "enamorado del amor pasional" es un adicto socialmente aceptado que trata de reincidir saltando de una conquista a otra. Platón lo describe así:[58]

> He aquí, joven querido, las verdades que debes meditar sin cesar, no olvidando jamás que la ternura de un amante no es una afección benévola, sino un apetito grosero que quiere saciarse. "Como el lobo ama al cordero/el amante ama al amado" [p. 506].

No se debe confundir la adicción al amor con el miedo a la soledad o la necesidad de buscar compañía. La persona *sola* sufre de retraimiento, incomunicación o de exclusión afectiva, por eso, hallar a alguien es una manera de aliviar la angustia. En cambio, para los adictos al amor pasional lo importante no es el soporte emocional, el sosiego de tener un compañero, sino la sensación, el goce, la emoción. No es compañía o tranquilidad lo que busca el adicto a la pasión, sino exaltar sus sentidos.

Una paciente de veintidós años tenía un verdadero récord de aventuras. Su manera de funcionar era congruente con la filosofía del objeto desechable, aunque ella no era muy consciente de ello. No buscaba novio sino enamorarse tal cual lo había hecho en su temprana adolescencia. Como sabía que *eros* aparecía de una manera rápida, si a las pocas salidas con alguien no sentía lo que esperaba sentir, lo hacía a un lado. De más está decir que su vida "amorosa" había comenzado a transitar por los incómodos y peligrosos caminos de la promiscuidad.

La gente suele pensar que cuantas más personas se conozcan más posibilidades habrá de que el enamoramiento se concrete. Sin embargo, mi experiencia va en contra de esta afirmación de sentido común. La mayoría de las veces *eros* se presenta cuando menos lo esperamos, como si la ansiedad por obtenerlo, precisamente, lo alejara de uno. Recuerdo una frase de Tagore que define bastante bien lo que quiero decir: "El amor es como las mariposas, si tratas de alcanzarlas desesperadamente, se alejan, pero si te quedas quieto se posan sobre ti".

Los delirios de *eros*

1 | El delirio celotípico o los celos enfermizos

La característica posesiva de *eros* hace que muchos enamorados comiencen a desconfiar y a ejercer un control excesivo sobre su pareja. Una mujer recién casada con un hombre obsesivo y celoso me decía con angustia: "No me deja hacer nada, tengo que estar reportándome a cada instante... Me cela con sus amigos, con los vecinos, me huele la ropa interior... Y ahora, quiere que coma mucho, ¡quiere que engorde para que me vea más fea porque dice que así soy muy llamativa!". El síndrome de Otelo versión criolla.

Los celos son un estado emocional negativo provocado cuando alguien percibe que su relación amorosa se ve amenazada por una tercera persona, ya se real o imaginaria.[59] Las reacciones afectivas que los conforman abarcan un amplio espectro: recelo, hostilidad, rechazo, ansiedad, dolor, depresión y, claro está, disminución de la autoestima.[60] Aunque existen algunas diferencias culturales en la manera de sentir y expresar los celos, las reacciones fundamentales son bastante similares. La manera como piensa y actúa la gente celosa de Hungría, México, Holanda, Rusia, Estados Unidos y la antigua Yugoslavia es prácticamente idéntica.[61] Por otro lado, los hombres y las mujeres sufren de celos por razones diferentes: los varones se preocupan más por la infidelidad sexual, mientras que las mujeres lo hacen más por la infidelidad emocional.[62]

Cuando los celos son totalmente infundados e imaginarios decimos que son delirantes.[63] El *Manual diagnóstico y estadístico de los trastornos mentales* (DSM IV-TR) los define de la siguiente manera:

> Esta creencia aparece sin ningún motivo y se basa en creencias erróneas que se apoyan en pequeñas "pruebas" (por ejemplo, ropas desarregladas o manchas en las sábanas), que son guardadas y utilizadas para justificar la idea delirante. El sujeto con esta idea delirante suele discutir con el cónyuge o amante e intenta intervenir en la infidelidad imaginada [p. 365].

Algunos piensan que un poco de celos mantiene la relación bien amarrada. Mi posición es contraria. Si tengo que asustar a mi pareja para que reaccione, es que algo anda mal. Hay maneras más racionales y civilizadas de recordarle al otro que uno sigue allí. Una cosa es que la persona que tienes a tu lado sea atractiva y admirada por la gente (no es culpa de nadie y hasta puede ser agradable que la alaben) y otra muy distinta que tu pareja ande exhibiéndose descaradamente para hacerte "sufrir un poco" y que "descubras" lo valiosa y cotizada que es. Es la pérdida anticipada como factor motivacional: "Te amo mucho más cuando pienso que voy a perderte". Además de ser indigno para ambos, el método es bastante primitivo. Los celos son un arma de doble filo que es mejor no utilizar.

2 | El delirio erotomaniaco o imaginarse amores que no existen

En cierta ocasión, una psicóloga amiga me remitió un paciente porque el sujeto había desarrollado una idea delirante sobre ella. El hombre pensaba que su terapeuta se había enamorado de él.

Fundamentaba tal presunción en que la doctora le rebajaba el costo de las sesiones y, según él, lo miraba de manera especial. De más está decir que ella era una mujer felizmente casada, recatada, seria y supremamente profesional.

En una consulta, el paciente en cuestión escuchó que ella hablaba con su marido para coordinar quién iría al colegio por sus hijas y creyó detectar en esa conversación un indicio claro de que el matrimonio de su psicóloga era poco menos que un desastre. Llegó a la conclusión de que ella era víctima de un esposo cruel y que él debía salvarla. Comenzó a llamarla a la casa, a tratar de hacerse amigo de la secretaria para obtener información confidencial y a escribirle poemas de amor, primero con seudónimo y luego con su nombre.

Un día la esperó en la puerta de su casa y le expresó la idea de rescatarla de su marido. Ella logró convencerlo de que desistiera de su propósito y lo tomó de un brazo para alejarlo. Esto agudizó aún más los síntomas porque el hombre interpretó el contacto físico como una caricia encubierta, un mensaje que significaba: "Todavía no, espera un poco más". Su percepción de la realidad estaba totalmente alterada.

En una entrevista, resumió así su sentir: "No crea que lo estoy inventando, yo sé cuándo una mujer me está seduciendo... Por ejemplo, ella me atiende vestida de faldas cortas y además los ojos le brillan cuando me ve... Yo me doy cuenta... Después de la pelea que tuvo con su esposo por teléfono, ella cambió de lugar el portarretratos donde aparecía junto a él, lo puso mirando contra la pared, ¿no le parece extraño?... Voy a ayudarla a que deje a ese hombre... Y después quién sabe... Hasta podríamos estar juntos".

En el trastorno *erotomaniaco* la idea delirante suele referirse a un amor romántico idealizado. El *Manual diagnóstico y estadístico de los trastornos mentales* (DSM IV-TR) lo define de la siguiente manera:

Por lo general la persona sobre quien recae el sentimiento de amor ocupa un estatus más elevado (por ejemplo una persona famosa o un superior en el trabajo), pero también puede ser un perfecto extraño [p. 365].

Una joven con problemas de obesidad asistió a un concierto de un conocido cantante y juraba que el artista la miraba a ella y le hacía guiños a casi cien metros de distancia y rodeada de más de cinco mil fans. A partir de ese día comenzó una persecución implacable de su ídolo, mediante cartas y llamadas telefónicas. Incluso dijo estar embarazada de él. Sólo pudo controlar el problema cuando pidió ayuda profesional.

A veces he pensado que el amor funciona por acumulación. La necesidad de amar puede ser tan grande en el ser humano que vamos "haciendo ganas", amontonando impulsos y cargándonos de energía afectiva hasta que un día no aguantamos más y estallamos con el primero que pase. En *Amor, divina locura*, una novela que escribí con la intención de rescatar el concepto griego del amor, *Eros* dice lo siguiente:

–El amor no llega de la razón, doctor —dijo *Eros*—. Primero nos enamoramos y después preguntamos quién es él o ella. Voy a explicarlo mejor. Nadie puede vivir sin amor, porque él es la fuerza que garantiza la unión de todo el cosmos. Si no amáramos, nos desintegraríamos y no podríamos pertenecer a este todo orgánico que llamamos vida, de ahí viene el nombre de "alma en pena", un corpúsculo solitario de vida sin poder realizarse en los demás. Pero de todas maneras, aunque nos neguemos a amar, el amor se va acumulando en el ventrículo derecho del corazón (ése es el lugar donde se almacena cuando no lo queremos utilizar). Podemos reprimirlo, esconderlo, pero no eliminarlo. Ese potencial no desaparece, está ahí listo para desarrollarse. ¿Y qué ocurre cuando lo guardamos mucho tiempo sin procesarlo, sublimarlo o transferirlo? Se sale de su cauce, se desborda, y cuando esto ocurre no tenemos más remedio que entregárselo al primero que pase. ¡Toma, te hago entrega de esta acumulación de afecto porque ya no sabía qué hacer con él! ¡Me enamoro de ti! Y ahí quedamos, entrampados. Ésa es la razón por la cual a veces nos enamoramos de la persona que no es.

¿Manía o entusiasmo?

Quizás haya una manera más benévola de tratar a los enamorados pasionales, como es hablar de entusiasmo en vez de manía o hipomanía, lo cual no significa que hagamos caso omiso de la patología que muchas veces acompaña a *eros*.

El diccionario define *entusiasmo* como: "Exaltación del espíritu ante algún hecho, espectáculo o situación", y en una segunda acepción como: "Adhesión fervorosa". Así que si alguien resolviera hacer una declaración de amor en estos términos produciría más risa que éxtasis: "Cada vez que te veo se produce en mí una exaltación del espíritu" o "Siento por ti una adhesión fervorosa".

Estamos de acuerdo en que no toda pasión implica hipomanía, aunque se le parezca. Podemos hablar de la pasión por la cocina, por el arte, por el futbol, pasiones que no necesariamente impliquen enfermedad. No obstante, la afirmación contraria sí es cierta: no hay hipomanía sin pasión.

Siguiendo con las definiciones, la palabra *pasión* tiene dos significados: "Apetito o afición vehemente hacia algo" y "Acto de padecer cualquier perturbación o afecto desordenado de ánimo". Pasión como placer y dolor conjugados. Una declaración de amor que se ciñera estrictamente a la definición de pasión señalada generaría un verdadero caos afectivo en el receptor: "Mi amor, siento un apetito o afición vehemente hacia ti" o "Mi amor, siento por ti una perturbación o afecto desordenado que me hace padecerte". Adiós idilio.

Pero hay una descripción semántica de *entusiasmo* que sí me gusta. Se refiere al origen griego de la palabra cuya traducción es *en theós thimós* (ἐν θεός θυμός), que quiere decir: "Tener o sentir la fuerza de Dios en el pecho".

Y aquí la cosa cambia, la hipomanía se vuelve más benigna y la declaración de amor adquiere ribetes poéticos: "Cuando te veo, siento la fuerza de Dios en el pecho". El ímpetu vital (*élan* creador) del que hablaba Bergson y que le da sentido a la existencia: somos "energía lanzada a través de la materia".[64]

La premisa del amor: "Amarte es sentir la fuerza de Dios en el pecho". ¿Dónde más se puede sentir el amor si no es cerca del corazón? No hablo de sexo puro, que se siente en otra parte, hablo de aquel amor pasional que transformado en erotismo se expande hacia arriba. ¿Cómo amar de verdad sin sentir a veces las piernas flojas y la piel de gallina? ¿Cómo hacerlo sin dejarse llevar por el instinto, dulcemente? Entusiasmo: el *eros* saludable que te mantiene en ascuas y a toda máquina.

Para no sufrir

Elegir bien con quién

- El primer paso, y quizás el más relevante para no sufrir, es elegir bien o al menos reflexionar un poco antes de involucrarte, darte un tiempo para que puedas evaluar los pros y los contras, donde te proyectes al futuro, así sea a corto plazo, en días u horas. Un ensayo virtual que no suelen hacer los enamorados. Me dirás que *eros* no da tiempo, sin embargo, si estás vigilante, puedes verlo llegar como un rubor, una sensación de extrañeza o cierta inquietud hacia alguien.

- Si te ha ido mal algunas veces, la salida más inteligente es revisar por qué ha sido así. Sentarte con cabeza fría a evaluar las causas. Es absurdo que te niegues el amor por miedo a sufrir. ¿Eres tan cobarde? Había una vez un gato que se sentó sobre un fogón prendido y se quemó la cola, y a partir de ese momento decidió quedarse toda su vida de pie. ¿Qué le faltó al gato? Capacidad de discriminación, la clave de todo aprendizaje. *Dónde y cuándo.*

- Insisto: afrontar el miedo no significa cerrar los ojos y tirarse al abismo, sino abrirlos bien. Estrategias dirigidas al problema, pensar. De ahora en adelante no dejarás que sea exclusivamente la emoción la que tome la decisión. No implica aniquilarla, sino calibrarla. Reprimirla sería como querer curar un dolor de cabeza cortándole la cabeza al paciente. De todas maneras, tengo una pregunta sobre la cual me gustaría que meditaras: si supieras que sólo después de diez fracasos afectivos consecutivos estaría esperándote la persona ideal, si ése fuera el requisito que te impusiera algún Dios malévolo, ¿renunciarías a la felicidad de conocer a esa persona? ¿No pasarías por los diez obstáculos?

- Desilusionarte del amor es desilusionarte de la vida. No puedes vivir en el desamor sin enfermarte, nadie puede. Enfrenta la próxima relación con valentía. Junta el corazón con la prudencia y haz una alianza estratégica que te permita moverte en los puntos medios. Evaluación consciente: si no tienes claro qué falló en el pasado, seguirás de tumbo en tumbo. Elegir bien con quién vas a estar, ya sea para casarte (lo cual es obvio) o para tener una aventura. Tener claro quién te merece y quién no. No te regales, no dejes que la soledad decida por ti. Afina la puntería, ésa es la clave.

No confundas pasado con presente

- No es fácil que *eros* repita con la misma intensidad o que se mantenga con la misma fuerza. Aun así, hay personas que bajo la influencia de un romanticismo a ultranza se quedan pegadas a los momentos brillantes iniciales, a la euforia original, al asombro que genera el amor en sus primeras etapas. ¿Quieres repetir? Difícil. Quedarte anclado en *lo que fue* te impide ver *lo que es*, lo que tienes. Conozco gente que no disfruta el presente porque no se parece al pasado.

- Las relaciones cambian, algunas evolucionan, otras involucionan. Unas crecen, otras se acaban. Pero cada época tiene su encanto o su dolor. ¿Estás enamorada o enamorado del amor? ¿Lo que quieres es repetir la sensación? ¿Y qué harás con todo lo demás que configura el vínculo afectivo? La relación es mucho más que emoción, el sentimiento es imprescindible, pero los otros componentes también. ¿Por qué reduces la experiencia afectiva a la mera emoción?

- Puedes argumentar que tu pareja al principio era más amable, más tierna y menos egoísta. Si es así, tienes razón en protestar, pero de nada te sirve la añoranza. ¿Lo que podría haber sido y no fue? Eso es perder el tiempo, es una forma de autocastigo. Es provocarse uno mismo el sufrimiento. ¿Y si en vez de lamentarte, actúas? El amor se construye día a día, es convivencia sentida y en movimiento. No puedes detener el tiempo para "sentir lo que sentías". Si eres de esas personas que generan adicción al sentimiento, debes fortalecerte, pedir ayuda, sacar callo. Para no sufrir debes concentrarte en el aquí y el ahora, no tienes otra opción. Si no lo haces, confundirás la ilusión con la realidad, y eso sí es grave. Otra vez Tagore: "Si lloras por el sol, las lágrimas no te dejarán ver las estrellas". Y si no hubiera estrellas, tampoco se justificaría rememorar un sol muerto. Esto es lo que tienes: lo tomas, lo dejas o lo cambias.

Si hay enfermedad: terapia urgente

• Como pudiste deducir de la lectura de este capítulo, *eros* puede degenerar en patología. No tengo mucho que decirte en este punto. Si los celos se han enquistado en ti o en tu pareja, o si algún otro delirio te ronda, pide ayuda profesional. De acuerdo con mi experiencia, los celos son una enfermedad peligrosa porque no sólo atentan contra la seguridad personal sino que crecen a una velocidad pasmosa.

Entusiásmate, pero no enloquezcas

• Es distinto. El entusiasmo no te aleja de la realidad, te aproxima a la vida con pasión. El amor enfermizo distorsiona la realidad y por lo general lastima a quien lo padece. En el entusiasmo creces como persona y te realizas. En la locura (hipomanía) te niegas a ti mismo. Siente el amor con todas tus fuerzas, vívelo intensamente, apasiónate, pero sin destruirte. La pasión saludable no implica perder conciencia. Por el contrario, la pasión maniaca es sinónimo de inconsciencia, de descuido, de torpeza.

- Lee el apartado "¿Manía o entusiasmo?" varias veces. Aunque sea corto, te pondrá en contacto con la pasión. Escribe en qué te excedes, separa las conductas torpes de las inteligentes. Quédate con los comportamientos que te permitan desarrollar tu potencial, elimina los que te idioticen. Separa hipomanía de entusiasmo, pasión sana de pasión enferma. La pregunta es clara: ¿en qué fallas? Recuerda: contener a *eros* no es quitarle su energía natural, sino saber utilizarla.

- Si eres bien correspondido y si tu pareja no implica riesgos para ti y además te merece, pon el pie en el acelerador, deja que el deseo te posea, atiza la llama, permite que Dios se recree en tu pecho. Deja que *eros* haga de las suyas y te sacuda de pies a cabeza. Que nadie te quite lo bailado. La vida es una fiesta y eres su invitado principal. Pero si tienes una duda, una sola, así sea pequeña, pon el freno de emergencia. Si sientes que no te merecen, que la persona que te pretende no es confiable, que no te ama ni te desea lo suficiente, o si intuyes que te quiere utilizar, y obviamente no eres paranoico, levanta más la palanca del freno, no sigas. ¿Para qué? ¿Se justifica el riesgo? Mejor, pon a *eros* en remojo. Y si aun con todo estos factores en contra insistes y persistes, ya no se trata de entusiasmo, sino de estupidez crónica. "Ama y haz lo que quieras", menos enloquecerte, menos sufrir innecesariamente.

SEGUNDA PARTE

PHILIA

De la manía a la simpatía

El amor trabaja, es incansable.
MILAN KUNDERA

Te amo: me alegra que existas.
ANDRÉ COMTE-SPONVILLE

La tendencia es inevitable: *eros* declina con el paso del tiempo.[1] No necesariamente se apaga de manera definitiva, pero tarde o temprano *eros* merma su accionar. Algunos sostienen que dentro de los tres o cuatro primeros años de matrimonio es cuando se da el mayor descenso,[2] y otros, más románticos y vehementes (generalmente más mujeres que hombres), afirman de manera enfática que el amor apasionado puede ir mucho más allá de lo que marca la estadística.[3] Nos guste o no, la realidad se impone y *eros*, de la mano de la naturaleza y ayudado por la costumbre, va aplacando su ímpetu.

Parecería que el final del enamoramiento también tiene una base fisiológica. Debido probablemente a que ningún cerebro soporta tanta euforia, el organismo se encarga de protegernos del infarto amoroso a través de ciertos componentes químicos niveladores. Los tres más importantes son: *a*) la *vasopresina*, que se activa principalmente en los hombres después de eyacular y los vuelve más responsables con la prole, mujer incluida;[4] *b*) la *oxitocina*, que se origina más en las mujeres y estimula la vinculación/apego con los hijos y con la pareja;[5] y *c*) las *endorfinas*, que funcionan como un opiáceo, de forma similar a la morfina: serenan la mente y disminuyen la ansiedad.[6]

Pero la hormona que más se opone a la dulzura y la expresión de afecto es sin lugar a dudas la testosterona, sobre todo en los varones. La evidencia es concluyente: a más testosterona, menos probabilidad de contraer nupcias y más violencia intrafamiliar.[7] La oposición cariño/testosterona se hace evidente en el siguiente hallazgo: después del nacimiento de los hijos los papás tienden a bajar sus niveles de testosterona para poder ejecutar mejor su rol paternal,[8] una forma primitiva de responsabilidad posparto.

Así que el cariño, el afecto sosegado, la amistad o la *philia* posee su propio coctel bioquímico: altos niveles de vasopresina, oxitocina y endorfinas, y poca testosterona. El hipotálamo sintetiza la forma primaria de apego y ternura: la paz luego de la guerra, la proximidad afectiva que se recrea en el silencio obligado que llega como un regalo.

Una mujer, después de haber cumplido seis años de matrimonio, me decía: "Obviamente no es lo mismo, ya no existe esa desesperación, esa angustia por tenerlo siempre a mi lado. Al principio yo era celosa, pero con los años me tranquilicé. Somos buenos amigos y nos confiamos cosas. Incluso cuando hacemos el amor lo hacemos como 'dos buenos amigos', amablemente... Pero no me malinterprete, como dos buenos amigos *ardientes*... La cuestión es de ida y vuelta, de dar y recibir... Mi marido no es un estorbo para mí, yo lo deseo, pero con calma, sin adicción... Las ganas no me manejan como hace años, yo manejo las ganas... Creo que alcancé la combinación que usted me sugirió en cierta ocasión: tranquilidad y deseo... ¿Será que *eros* sólo baja hasta donde lo dejemos caer?".

Tranquilidad y deseo, juntos y revueltos: la base de toda buena relación. Pero ¿es posible lograr una relación tan equilibrada y realista como la que relata mi paciente o sólo se trata de un caso especial y aislado? Mi opinión es que sí es posible, si uno acepta que *eros* no será siempre el mismo. En otras palabras: dadas ciertas condiciones, que señalaré más adelante, podemos hacer que la pasión se mantenga en un punto medio interesante.

La siguiente tabla resume algunas diferencias entre *eros* (pasión/placer) y *philia* (amistad/alegría) que han reseñado psicólogos, filósofos y escritores.

La diferencia presentada no debe ser vista como una devaluación de *eros*, sino más bien como un complemento indispensable de la *philia* de pareja, lo que no quita que en ocasiones *eros* se convierta en un problema cuando se mezcla con *philia*. Por ejemplo, si comenzamos a desear a nuestra mejor amiga, la amistad, queramos o no, entra en cortocircuito. El toque de *eros* produciría, al menos, dos posibilidades: *a*) la amistad se acaba o *b*) se transforma en algo nuevo que puede o no terminar en un amor maduro y estable. De todas maneras, en una relación de pareja completa y bien constituida, *philia* debe estar impregnada de *eros*, ojalá bastante.

EROS	PHILIA
amor/pasión	amor/acción
amor/carencia	amor/alegría
amor loco	amor pensado
amor unilateral	amor intersubjetivo
egocéntrico	descentrado
enamorarse	amar
concupiscente	benevolente
reducción	expansión
acelere	paz
deseo/carencia	deseo/potencia
fácil	difícil

adrenalina	oxitocina
más incontrolable	más controlable
bioquímico/emocional	cognitivo/racional
no se elige	se elige
decae	se profundiza
involuntario	voluntario

5. *Philia* y amor cortés: un breve repaso histórico*

El significado de la palabra *philia* tiene que ver con el léxico que utilizaban los griegos para referirse al amor cariñoso, las querencias familiares, los amigos o incluso a las relaciones de pareja. Tras la conquista erótica, en una fase posterior, el amante podía desarrollar hacia su amada o amado un sentimiento de aprecio. Para los griegos de aquella época, *philia* era un derivado o una consecuencia casi inevitable de *eros*. Había un momento en que el amante se convertía en amigo y la manía se transformaba en simpatía (*philotes*).[9]

Se podría decir que la historia del amor, en términos de *eros*, *philia* y *ágape*, evolucionó en un sentido similar a como se desarrolla en nosotros a medida que crecemos. Primero lo individual, el egocentrismo de *eros*, y después el reconocimiento del otro como un interlocutor válido, las primeras manifestaciones de la *philia*.

Los historiadores coinciden en afirmar que el primer esbozo de este descentramiento afectivo, es decir, la inclusión del amado como sujeto que piensa y siente, aparece en Roma y en Alejandría.[10] Estas grandes ciudades abiertas al mundo recibieron un

---

* Si no te interesa la historia, puedes saltarte este capítulo, aunque recomiendo su lectura.

influjo importante de otras culturas que las llevó a reestructurar muchas de sus costumbres y creencias.

Uno de estos cambios tuvo que ver con las reivindicaciones femeninas, lideradas por las patricias y las cortesanas. Mientras los romanos andaban ganando guerras, las romanas ganaban su propia libertad. El campanazo inicial ocurrió en el año 195 a. C., cuando un grupo considerable de mujeres se declaró en huelga de maternidad: no tendrían más hijos hasta que se derogara una ley que les prohibía vestirse de colores, llevar plata y alejarse más de mil pasos de la ciudad.[11] Vale la pena señalar que los "dueños" legales de las mujeres eran los padres consanguíneos y no los maridos, lo que daba a las esposas cierta independencia económica respecto del cónyuge y la seguridad de un protector de por vida. En Roma y Alejandría comienza entonces a gestarse una visión menos mortífera y determinista del amor: libertad de elección y más equidad entre las partes.[12]

Pero es en el siglo XII, en Francia, más específicamente en Provenza, donde los poetas inventaron el amor cortés, la *cortesía*, el amor amable y refinado. Se atribuye a Guillermo IX, duque de Aquitania (1071-1127), un poeta provenzal que había participado en las cruzadas, el origen de los trovadores y la poesía cortesana.[13] La Edad Media fue el paso definitivo para la instauración de un amor romántico mesurado, imaginado y fantaseado, orientado más a la *philia*, a la admiración de la amada, que al deseo sexual duro: para el amor se necesitaban dos, y uno de ellos era mujer.

Un punto fundamental fueron las cruzadas, ya que no sólo llevaron a cuestionar un sinnúmero de paradigmas culturales, religiosos y sociales,[14] sino que influyeron en la concepción machista que se tenía del amor. La ausencia de los señores feudales o su muerte en Tierra Santa hizo que los caballeros tuvieran que servir a las damas que permanecían en palacio o bien a las viudas herederas, de manera similar a como los vasallos lo hacían con sus señores y amos. El nuevo lenguaje incluía expresiones como "mi señora", "mi noble dama", "soy vuestro humilde servidor", "vuestros deseos son órdenes", en fin, el reconocimiento lingüístico y sentido de una condición especial hasta entonces desconocida.[15]

Por otra parte, el contacto con la cultura árabe, una sociedad que respetaba mucho más lo femenino, generó una transformación en la percepción que los hombres tenían de las mujeres. Por ejemplo, descubrieron que en Bizancio existía el culto a la Virgen María y que los emires se declaraban sirvientes y esclavos de sus amadas. Una nueva elite femenina emergió rápidamente en Europa. Después de casi tres siglos de subyugación, la nobleza femenina dominaba a los valientes caballeros de brillantes e impenetrables armaduras, para quienes el "amor cortés" se había convertido en una forma de purificación y distinción. El siglo XII, tal como dice Gilles Lipovetsky,[16] fue el comienzo de un canto al amor que nunca ha dejado de ser celebrado:

> Jamás creación poética logró transformar de manera profunda la sensibilidad, los modales, las relaciones entre hombres y mujeres como la invención occidental del amor [p. 15].

No obstante, el amor cortés, salvo algunas excepciones, nunca fue asimilado al "amor conyugal". Debido a que la legitimidad de los herederos era casi una obsesión para las familias acomodadas, el amor sólo era tolerado por las instituciones en la medida en que fuese infecundo. Tal como explica el historiador Jean-Louis Flandrin,[17] en los siglos XVI y XVII, las leyes habían proscrito el matrimonio por amor pues constituía un riesgo para el orden social, y es sólo en el siglo XVIII cuando ocurre una aproximación significativa entre amor y matrimonio.

Pero hay que esperar casi dos siglos más, hasta los años sesenta, para que el amor se consagre y ascienda a un concepto más universal. Hoy admitimos el amor sin condiciones y hasta nos parece natural y saludable que los matrimonios se consumen por amor, sin embargo, no aceptamos con la misma facilidad que la separación se haga efectiva por desamor. Pero ¿a qué desamor nos referimos? Mucha gente justifica una relación sin *eros* y hasta con poca *philia*, pero hay acuerdo general en no negociar con la violencia interpersonal, al menos en teoría. Es decir, damos más peso al *ágape* a la hora de evaluar la convivencia. Entonces cabe otra pregunta: ¿no sería igualmente válido considerar como motivo de separación la ausencia de *eros* y/o *philia*? Vivir en la indiferencia con alguien a quien no consideramos amigable puede ser tan cruel y doloroso como ser golpeado. Ser rechazado sexualmente de manera sistemática por nuestra pareja puede destruir la autoestima de una persona tanto o más que la agresión física. Obviamente no estoy minimizando el impacto negativo de la violencia interpersonal e intrafamiliar. Lo que intento señalar es que desde el punto de vista histórico hemos evolucionado hacia una concepción sesgada o compensatoria del amor, donde por evitar la pasión pura y carnal (*eros*) hemos llevado el péndulo hacia el otro extremo, al de la compasión (*ágape*), olvidando que el amor de la convivencia, la "amistad amorosa" (*philia*), es quizás el ingrediente más importante de una relación de pareja con los pies en la tierra.

El amor cortés reconoció la existencia del otro como sujeto imprescindible del amor, pero no alcanzó a concretar en detalle la idea del amor amistoso, del amor conyugal, de la pareja en acción. Eso lo explica *philia*.

6. La amistad amorosa: el núcleo vivo de la relación

Una mujer kung san del desierto africano de Kalahari explica lo siguiente: "Cuando dos personas están juntas por primera vez, sus corazones están abrazados y su pasión es muy grande. Después de un tiempo el fuego se aplaca y es así como permanece. Continúan amándose el uno al otro pero de una forma diferente: cariñosa y dependiente".[18]

Algunos expertos en el tema del divorcio sospechan que las altas tasas encontradas en las últimas dos décadas están relacionadas en parte con la excesiva importancia que se otorga al amor romántico.[19] En la India, por ejemplo, y no es para desanimar a los enamorados, los matrimonios que están basados exclusivamente en el amor romántico reportan menos amor que los "matrimonios concertados" al cabo de cinco años.[20] Parecería que el sentimiento de amor romántico sigue un curso similar al de cualquier emoción primaria: sube, llega a una fase de meseta y luego tiende a extinguirse.[21]

Si alguien me dijera: "Te amaré toda la vida", antes de ponerme contento, preguntaría: "¿De qué amor me hablas?", y luego agregaría: "Si te refieres al 'amor como estado', es decir, al amor pasional de *eros*, pensaría que estás comprometiéndote con algo que no vas a poder cumplir, que me estás tomando el pelo o simplemente que tienes una idea distorsionada o sobrevalorada del amor: demasiado optimismo para mi gusto. Pero si a lo que aludes

es al 'amor en acto', es decir, al amor trabajado, construido y ejecu-
tado en el día a día (*philia*), podría llegar a creerte, porque el cum-
plimiento de la promesa dependería de ti, de tu voluntad y no de
un sentimiento. ¿Podrías entonces aclararme a qué amor te refieres?". Es probable que la persona interesada no vuelva a aparecer.

Pretender ser amigo anónimo de alguien no deja de ser una
estupidez: "Soy amigo de Carmen, pero Carmen no lo sabe", o
como dicen los niños a veces: "Ella es mi novia, pero no lo sabe".
El amigo se nota, hace bulla, se manifiesta porque ésa es su esencia. *Philia* es afecto declarado, evidenciado en el vínculo y, por tal
razón, lo que se hace en concreto es lo que finalmente define la
amistad: eres amigo en la medida en que te comportas como tal,
no basta con sentirlo.[22]

La *philia* se aprende y "se hace" sobre la marcha. No sólo "hacemos el amor", también "hacemos la amistad" en términos afectivos. La experiencia de amistad es tan reveladora en sí misma que
no tenemos un lenguaje especial para explicar su conformación y
afianzamiento. Si alguien nos dijera: "Ayer mi pareja y yo 'hicimos
la amistad': compartimos una buena película, cocinamos juntos,
nos reímos, cantamos, leímos poesía y nos confesamos algunos sueños no realizados aún", pensaríamos que no está bien de la cabeza.

"Hacer la amistad": de eso se trata la vida de pareja regulada
por *philia*. Es la alegría. ¿Alegría de qué? De que la persona amada
ronde nuestra vida. "Amar es la alegría de que existas", dice Comte-Sponville,[23] inspirándose en Spinoza. Yo supongo que cuando
dos personas coinciden en semejante declaración de amor, el universo entero tiembla, ya que el amor recíproco y coincidente siempre tiene algo de milagroso. Cuando cada uno se alegra de que el
otro exista, ¿habrá mejor suerte, mayor dicha?

Pablo era un hombre que pasaba por la tenebrosa crisis de los
cuarenta. Se había casado hacía quince años y aunque llevaba una

vida relativamente aceptable con su esposa y sus dos hijos preadolescentes, sentía que la rutina le estaba tomando ventaja. Su mujer era una buena compañera, pero él necesitaba emociones más fuertes: "Ya no vibro, el tedio me consume... Ella es una excelente mujer pero nuestra vida es desabrida... Sigue siendo atractiva, pero se ha perdido el encanto, no hay entusiasmo ni sorpresa... Todos los días son iguales: llego de trabajar, ella habla con sus amigas y yo me pego al televisor o a internet... Los sábados salimos a comer y los domingos vamos a la casa de mis padres".

Unos meses atrás Pablo había conocido una mujer catorce años más joven que él, mucho más fogosa y energética que su esposa. Así que no tardó mucho en apegarse a ella. Poco a poco se fue alejando de su familia hasta que un día decidió separarse e irse a vivir con su joven amante. Pero la cosa no fue tan fácil. Pese a los buenos pronósticos, la experiencia no resultó como se pensaba. No es lo mismo verse dos veces por semana en un motel de la mano de *eros* o escaparse un fin de semana a la playa a disfrutar del sol, que convivir con la persona de tiempo completo o incluso de medio tiempo.

Después de algunas semanas de convivencia, Pablo hizo un descubrimiento que lo dejó de una pieza: ¡su nueva consorte le generaba estrés! Era demasiado acelerada, no entendía sus necesidades y parecía incansable cuando de diversión y placer se trataba. Odiaba la televisión, lo mimaba poco y no era muy amable con sus amigos. La amaba más de la cintura para abajo que de la cintura hacia arriba. Muy pronto *eros* comenzó a verse afectado.

Un día cualquiera Pablo fue a buscar a uno de sus hijos, y la exmujer lo invitó a pasar y le ofreció un café. Se quedó hablando un buen rato con ella e hizo un segundo descubrimiento tan aterrador como el primero: ¡su esposa lo comprendía a la perfección! En una sesión me dijo: "Mire, doctor, cuando hablé con mi mujer sentí alivio... Podía ser yo mismo, no tenía que esforzarme por aparentar nada... Descubrí que ella me conoce al dedillo y, lo más importante, me acepta... Me sentí protegido... De regreso a casa, ¿me entiende? Además, estaba muy linda. Y ocurrió lo que tenía que ocurrir... Algo renació entre nosotros".

Pablo volvió a su casa en menos de lo que canta un gallo. Al otro día estaba otra vez junto a su "nueva mujer" ¿Qué había motivado su regreso? Era obvio que el motivo no era sexual, ya que ésa había sido precisamente su queja inicial. Entonces, ¿de qué atracción estamos hablando? La respuesta es *philia*. La tranquilidad, el acuerdo tácito que guía a los amigos y nos hace sentir que somos aceptados a pesar de nuestros defectos.

Su esposa estaba dispuesta a generar "emociones más fuertes", eso no es difícil de lograr si todavía hay algo de deseo. Pero la amante no podía ofrecer lo otro, lo que se logra con los años: la sensación de estar "en casa" y con los amigos. Por eso y a eso volvió Pablo: al disfrute de la amistad.

Amistad amorosa: gozar de la persona amada sin angustia y con benevolencia. Me alegra tu alegría, me complace verte feliz. Amor compañero: el cariño que sentimos por aquellos con quienes nuestra vida está profundamente entrelazada.[24]

Algunos psicólogos no ven con buenos ojos la amistad de pareja y tienden a separar el "amor de compañerismo" de la libido. Por ejemplo, el psicólogo Robert J. Sternberg, autor de *El triángulo del amor*,[25] dice al respecto:

> El amor de compañerismo es el resultado de los componentes de intimidad y decisión-compromiso del amor. Se trata, esencialmente, de una amistad comprometida, de larga duración, del tipo que frecuentemente se da en los matrimonios en los que la atracción física, una fuente primordial de la pasión, ha disminuido [p. 51].

Sternberg está equivocado. Hacer incompatible el "compañerismo de pareja" con el deseo sexual es crear una falsa dicotomía. ¿Quién dijo que el compromiso voluntario que nace del "querer amistoso" es irreconciliable con la chispa de *eros*? O posiblemente ocurra todo lo contrario: ¿no será que el sexo maduro, el que surge de la buena convivencia, tiene la cualidad, el cuerpo y el aroma de los vinos añejos?

No se trata de excluir la pasión del compromiso, sino de integrarlos en un amor más unificado y completo. Nadie niega que con el paso de los años la atracción física tiende a disminuir, pero tal como he dicho antes, la sal, el gusto por la relación, puede estar en muchos otros elementos.

El filósofo Jean-Pierre Vernant,[26] sin duda más realista, se refiere a la amistad de pareja como una relación entre camaradas:

> Ser camaradas es ser amigos en el día a día. Cuando se ha comido, se ha bebido y reído juntos y se han hecho también las cosas importantes y serias, esta complicidad crea tales vínculos afectivos que sólo se puede sentir llena la propia existencia en y por la proximidad del otro [p. 203].

Los compañeros de a bordo, como decía Brassens en una de sus canciones. En los años sesenta la palabra *camarada* fue adoptada por el partido comunista para referirse a los que "militaban en el mismo bando y compartían las mismas ideas". La dimensión política del amor: personas comprometidas con la misma causa, independientemente de que sean de derecha o de izquierda. Suena bien.

Una *comunidad* es la *asociación* de dos o más individuos que tienen *intereses comunes* y que participan en una *acción común*. Entonces, la amistad amorosa es una comunidad afectiva de dos que se desean.

No solamente eres "mi amor", lo cual es entendible y hasta lógico porque te amo, sino alguien más fundamental, más cercano, más phíli-co: eres "mi compañera". ¿Compañera de qué? De intimidad, de vida, de sueños.

Para no sufrir

En una buena relación de pareja debe haber alegría

- Aunque ya me referí al tema del aburrimiento en otro apartado, voy a retomarlo aquí desde una perspectiva más emocional. La amistad de pareja implica sentirse compinche del otro, tal como ocurre con los buenos amigos. Lo primero que debes preguntarte es qué tan compañera o compañero te sientes de tu pareja. Y no me refiero a ser LA AMIGA o EL AMIGO con mayúsculas, es decir, el mejor o el único (eso ya sería un poco asfixiante), sino a si realmente puedes contar a tu pareja entre tus mejores amigos.

- ¿Te alegras cuando estás con él o ella? ¿Te hace falta? ¿La pasan bien juntos? ¿Se ríen? ¿Tienen de qué hablar? Si la respuesta a estas interrogantes es afirmativa, hay buen clima. Recuerda que la alegría potencia el ser y la tristeza lo hunde. En algunas parejas el fastidio o la molestia es obvia. "¡Estoy feliz porque mi marido se fue a un viaje de trabajo!", me dijo en cierta ocasión una amiga. Le pregunté con curiosidad por qué estaba tan feliz y me contestó que cuando él se iba, volvía a ser ella: "¡Me siento libre!", me dijo en un suspiro. Era evidente que algo andaba mal. No digo que tengas que hacerte un *harakiri* cada vez que tu pareja se marche, los alejamientos moderados son buenos, pero si saltas de alegría por su ausencia y la diversión comienza en el preciso momento en que tu pareja se va, no estamos ante un amigo o una amiga de corazón, es probable que se trate más de un estorbo o de un mal necesario.

- Que quede claro: no hablo de embelesamiento, sino de gozo y simpatía. Si tu pareja te hace sonreír de vez en cuando, vas bien. Si no ves la hora de contarle tus logros o un problema que te mortifica, sigues bien. Y si a veces sientes un cosquilleo agradable cuando te encuentras sorpresivamente con ella, estás en lo que es.

- Hay parejas que confunden la "alegría de que existas" con la "resignación de que existas". Se aguantan, se critican, se aburren: la "alergia" de que existas, el hastío de que andes rondando mi vida, la carga de tenerte. Los amigos, por definición, son livianos.

- Una manera adecuada para saber si hay una buena amistad es comparar la relación de pareja con la de algún buen amigo o amiga. Buscar similitudes y diferencias, pero sobre todo cómo te sientes en un caso y otro. Compara emociones: ¿sientes alegría cuando estás con tu pareja o te invade el tedio? Es verdad que no se puede sentir alegría todo el tiempo, eso nos llevaría otra vez a la manía, pero el telón de fondo, el tono general, ¿es satisfactorio? ¿Te complaces con su compañía? Si no es así, la cuestión necesita nuevos aires. Hay que revisar qué no está funcionando. Puede que *eros* y *ágape* no anden bien y afecten a *philia*. De hecho es muy difícil ser amigo de alguien que nos hiere o nos rechaza. Sin embargo, a veces el problema es de simple convivencia o de aburrimiento. No hay vuelta de hoja, debe haber alegría. No es negociable el desgano o el fastidio. No es aceptable que te moleste su presencia. Un paciente me describía así los encuentros con su esposa: "Verla me genera malestar. Ochenta por ciento del tiempo estamos en controversia. Ella se queja de que salgo con mis amigos, pero es que con ellos no hay peleas. Lo único que hacemos es pasarla bien... Con ellos me relajo, ella me genera estrés". En la amistad alegre, la proporción se invierte: ochenta por ciento del tiempo la pasas bien y veinte por ciento discutes, amigablemente. La amistad de pareja se basa en algo más que deseo (*eros*) y compasión (*ágape*). Yo diría que es una mezcla de gusto y humor. Los amigos se ríen y están del mismo lado en lo fundamental, ésa es la razón por la cual disfrutan estar juntos.

- ¿Puedes prescindir de *philia*? La respuesta es categórica: no, no puedes, a no ser que se trate de una aventura y entonces *eros* es suficiente. No obstante, si tu pareja es uno de tus amigos favoritos, podrías acceder a una interesante combinación de *eros* y *philia*, placer y alegría juntos. Hacer el amor con el amigo o la amiga: ¿qué más se puede pedir?

7. ¿Qué define una buena amistad de pareja?

Volvamos a una pregunta anterior: ¿podemos ser amigos de nuestra pareja? Los filósofos que han opinado sobre el tema muestran una variedad de posiciones.

Montaigne[27] sostiene que es imposible que los integrantes de la pareja sean amigos, y da dos razones: primero, porque *eros* estorba y, segundo, porque la amistad languidece el vínculo pasional. Para él, no hay salida: pasión y amistad se oponen.

Nietzsche[28] se muestra más optimista. En *Humano, demasiado humano*, dice: "El mejor amigo tendrá probablemente la mejor esposa, porque el buen matrimonio está basado en el talento de la amistad" (p. 785). *Las buenas parejas son amigas.*

Platón, en el diálogo *Lysis o de la amistad*,[29] llega a la conclusión de que "no hemos podido descubrir lo que es el amigo". *La amistad es una incógnita*, ni qué hablar de la amistad de pareja.

Schopenhauer[30] afirma sin pizca de pudor: "Las mujeres, al ser faltas de inteligencia, sólo pueden ser aptas para los cuidados y educación en la primera infancia, es que ellas mismas continúan siendo pueriles, fútiles y limitadas de inteligencia" (p. 57). Misógino de tiempo completo: la muerte de *philia*.

Finalmente, Voltaire[31] afirma: "Los demás sentimientos se entremezclan con el amor, como los metales se amalgaman con el oro: la amistad y el aprecio le favorecen, y la belleza del cuerpo y la del espíritu le añaden nuevos atractivos" (p. 147). *Es decir*, eros *y* philia *pueden convivir y alimentarse mutuamente.*

Si consideramos que la amistad es una forma de amor disminuido, entraremos en crisis cuando la relación comience a ser gobernada por *philia*. Pero si consideramos que la amistad de pareja es una dimensión más del amor que enriquece la vivencia afectiva, entonces trataremos de fomentarla y mantenerla activada. Y ésa es precisamente una de las ventajas de *philia* respecto de *eros*: podemos regularla y orientarla a voluntad. El punto de control es interno y no externo: *philia*, en gran parte, depende de uno. La amistad no llega de fuera, tú la promueves o la destruyes.

¿Qué factores impiden que la *philia* se desarrolle en la pareja? Las quejas más frecuentes son: "Somos muy distintos", "No hacemos una buena pareja", "Estamos poco tiempo juntos", "Me aburro", "La relación no es satisfactoria", "No nos tratamos bien", "Siento que doy más de lo que recibo", "A veces pienso que duermo con el enemigo" o "No le tengo confianza", entre otras.

La mejor manera de comprender el funcionamiento de *philia* y potenciar su desarrollo es conocer cuáles son sus componentes básicos. A partir de allí podrá conformarse un esquema de superación que permita reconocer fortalezas y debilidades.

Los componentes de la *philia* amorosa

A pesar de que los factores que conforman el amor amistoso de pareja pueden ser muchos, señalaré aquéllos en los cuales la psicología coincide con la filosofía (principalmente Aristóteles[32] y Cicerón,[33] los que a mi entender mejor han desentrañado el tema de la amistad). Esos puntos de coincidencia son cinco: semejanza, proximidad, recompensa mutua, equidad/justicia y confianza.

Dejaré el tema del respeto para cuando hable de *ágape* en la parte III. La pareja que haya alcanzado un nivel adecuado de funcionamiento en estos factores habrá logrado aproximarse positivamente a la tan anhelada amistad amorosa.

1 | Semejanza/complicidad: "En una buena relación hay acuerdo sobre lo fundamental"

Mientras que *eros* puede activarse ante personas opuestas y distintas, *philia* sólo puede crecer en la semejanza.

La idea de que los contrarios se atraen o que lo distinto nos complementa no parece tener mucho fundamento en el tema del amor, al menos en los que desean tener una relación estable y cómoda.[34] Aunque en algunos casos, como por ejemplo las relaciones de dominancia/sumisión, podría existir una tendencia a complementarse[35] (a los sujetos dominantes les gusta tener esclavos y a los dependientes les fascina tener un buen amo), los datos son categóricos: *la gente prefiere casarse o tener relaciones estables con aquellos cuyas personalidad y necesidades son similares*.[36] Mi experiencia profesional es que las parejas cuyos miembros son opuestos en aspectos fundamentales más que atraerse se estrellan. Veamos esto más en detalle.

Incompatibilidad básica no percibida

La oposición en valores, deseos y aspiraciones no produce afinidad sino rechazo e incomodidad. Un fanático del racismo emparejado con una persona pro defensa de los derechos humanos no sería una feliz combinación, como tampoco lo sería un sujeto violento por naturaleza con una mujer pacifista por convicción. Y no hablo de atracción física, sino de convivencia. En ocasiones la gente prefiere hacer caso omiso de las disparidades, tapar el sol con un dedo y seguir con la relación como si nada pasara. Podemos perseverar de manera irresponsable, inventar teorías fantásticas que justifiquen la disparidad o simplemente no prestarle atención a las diferencias. Tres ejemplos.

Resignación irresponsable. Recuerdo el caso de una señora profundamente devota casada con un hombre completamente ateo. Habían asistido a consulta debido a que su único hijo había empezado a presentar síntomas de ansiedad. En el tema religioso, ella no daba el brazo a torcer, ni él tampoco. Los problemas se agravaron cuando el niño cumplió cuatro años y hubo que decidir a qué colegio iría. A partir de ese momento se desencadenó una lucha sin cuartel sobre si la educación debía ser religiosa o laica. La obra teatral de Peter Shaffer *Equus* es un buen ejemplo de cómo la información contradictoria puede desencadenar alteraciones mentales. En la obra en cuestión, el padre del protagonista reemplazaba cada vez que podía el crucifijo que se hallaba sobre la cama del joven por la foto de un caballo, y la madre, con la misma insistencia, hacía exactamente lo contrario. Alan, el personaje central cuyo diagnóstico era de esquizofrenia, termina por cegar con un punzón a varios caballos en el momento que estaba haciendo el amor con su novia en una caballeriza. Cuando les alerté sobre la posibilidad de que su hijo podría llegar a enfermarse debido a la información contradictoria que estaba recibiendo, decidieron cambiar de psicólogo: el señor me consideró demasiado creyente y la señora demasiado ateo. Hace poco me enteré de que aún siguen juntos. Pese al daño que le han hecho a su hijo y a ellos mismos, parecería que cierta testarudez irresponsable los empuja a continuar enfrascados en una batalla sin sentido y sin solución. Preguntas sin respuestas:

¿por qué habrán decidido casarse siendo tan distintos? ¿Por qué no se han separado? ¿Qué los mantiene unidos?

Justificación cuasidelirante. En cierta ocasión un conocido me dijo que había tenido la suerte de encontrar a una mujer que era su complemento perfecto. Las razones eran principalmente astrológicas: ella era Acuario, decidida y echada para delante, y él era Libra, inseguro para tomar decisiones. El lazo que los unía no era afectivo sino astral. Después de un tiempo me lo encontré con otra mujer totalmente distinta a la anterior, más tímida e introvertida y no tan decidida. En esta ocasión los papeles se habían invertido y era él quien mandaba. Cuando le pregunté qué había pasado con sus predicciones cósmicas, las cuales según él eran infalibles, me dijo que los ascendentes también eran importantes y me dio una explicación esotérica que hubiera puesto a temblar a Nostradamus en persona. El nombre técnico de esta alteración es *autoengaño*.

Percepción distorsionada. En cierta ocasión atendí a una pareja totalmente dispareja, que llevaba un año junta. Ella era una mujer de treinta y dos años, de un estrato social alto, bastante culta y apasionada por la lectura y el arte. Él tenía veintidós años, era aprendiz de mecánico, vivía en una habitación prestada porque su padre lo había echado a la calle, su afición eran las motocicletas y era adicto a la marihuana. Los pleitos y las escaramuzas entre ellos eran constantes e incluso habían llegado a agredirse mutuamente. La consulta psicológica había sido pedida por el padre de la novia esperanzado en que alguien la hiciera cambiar de opinión. Sin embargo, pese a los intentos terapéuticos para que al menos tomaran conciencia de que sus diferencias eran de fondo y no de forma, ambos se mantuvieron en la posición de que eran "tal para cual", así que rápidamente desertaron de las sesiones. Lo último que supe fue que ella estaba embarazada y él la había dejado por

otra mujer. Si bien es cierto que las parejas no vienen listas de fá-
brica y debe haber un acoplamiento de ambas partes, hay algunas
que son definitivamente incompatibles. Como las piezas de dos
rompecabezas distintos, podemos encajarlas a la fuerza, pero el resultado final será una imagen distorsionada.

Las parejas muletas

Las parejas muletas creen que una buena relación es aquella donde cada uno se convierte en el bastón del otro. Por ejemplo, una
persona tímida puede llegar a pensar que si su pareja es extroverti-
da esto compensará su déficit en habilidades sociales y pasará más
inadvertida o al menos podrá sobrevivir mejor. Es una versión sofisticada del síndrome del siamés: "Si yo no puedo, pero mi pareja
sí puede, es como si yo pudiera". Amor de lazarillo. No sólo nos
amamos, sino que nos fundimos moral y patológicamente. Lo que
no saben los fanáticos de la fusión afectiva es que a veces lo bueno
se ve afectado por lo malo, y el supuesto "factor soporte" se transforma en "factor desequilibrante".

Olga era una mujer retraída e insegura que padecía una depresión mayor desde hacía algunos meses. En contraste, su esposo
era un hombre alegre y sociable que nunca había sufrido de ninguna alteración psicológica. Veamos un aparte de las conversaciones
que mantuve con cada uno de ellos por separado.

Conversación con ella

TERAPEUTA: ¿Me puedes explicar mejor qué es lo que te molesta de
tu esposo?

OLGA: Verlo contento... Me recuerda lo mal que estoy... No es culpa de él, pero es como mirarme a un espejo invertido.

TERAPEUTA: ¿Preferías que se enfermara?

OLGA: Preferiría curarme, si a eso se refiere... Últimamente a él no le importa mi enfermedad... Actúa como si nada pasara.

TERAPEUTA: Recuerda que la opinión psiquiátrica y la mía es que dependías demasiado de él, así que no debes interpretar su alejamiento como desamor.

OLGA: Usted no me entiende... Cuando estamos en una reunión, él cuenta chistes, baila, es expresivo y yo parezco una tonta... Siento tanta apatía.

TERAPEUTA: ¿Tienes rabia con él?

OLGA: Mucha.

Conversación con él

TERAPEUTA: Explícame mejor lo que sientes.

ÉL: Creo que esto ya me está afectando... Siento que las cosas me cuestan más esfuerzo... Aunque parezca igual de alegre, la enfermedad de ella me ha golpeado.

TERAPEUTA: ¿Qué sientes cuando estás con ella?

ÉL: Siento miedo... No sé cuándo va a estallar, si va a quejarse o va a llorar... Hay momentos en que está bien e incluso las crisis han disminuido, sin embargo... Esto le va a aparecer tonto, pero el miedo es a que me vuelva como ella.

TERAPEUTA: ¿Por eso te has alejado?

ÉL: Sí, en realidad es por eso.

TERAPEUTA: Lo que te sugerimos fue no ser condescendiente, pero sin retirarle el afecto; es importante que ella se sienta amada. Sin embargo, veo que estás en otra posición.

ÉL: Es que no soy capaz... Su estado de ánimo me afecta demasiado, es como si estuviera perdiendo fuerzas... ¿La depresión es contagiosa?

Desde el punto de vista terapéutico, la relación había tomado un rumbo inesperado. Por un lado, la comparación permanente de Olga con el estado de ánimo positivo de su marido empeoraba su depresión y agudizaba los síntomas. A esto se le conoce como "efecto de contraste": "Cuanto más alegre lo veo a él más mal me siento". Por otra parte, su esposo había desarrollado una fobia a enfermarse, por lo que evitaba cada vez más estar con ella. A esto se le conoce como "efecto de contagio": "Cuanto más estoy con ella más siento sus síntomas". Dos procesos negativos superpuestos, actuando al unísono y reforzándose mutuamente.

Al final, Olga pudo recuperarse satisfactoriamente de la depresión, pero a los pocas semanas, para sorpresa de muchos, su marido tuvo una crisis similar y fue internado.

Lo que me interesa recalcar es que la depresión de *Olga no se vio compensada positivamente por la alegría de él, sino todo lo contrario.* Pudo más el contagio negativo que la compensación positiva. Obviamente no estoy diciendo que dos depresivos crónicos hagan una buena pareja. Lo que afirmo es que mientras no haya enfermedad psicológica de por medio, la similitud atrae y la semejanza es un factor que potencia la relación, pero si existen alteraciones mentales significativas, las reglas cambian y las consecuencias no son fáciles de predecir.

El parecido, definitivamente

Tal como dije anteriormente, todo hace pensar que la semejanza produce agrado y favorece las relaciones estables.[37] Cicerón decía que la amistad tenía lugar cuando hay "consenso en gustos, opiniones y aficiones", mientras que Aristóteles afirmaba que "la amistad existe en virtud de una semejanza". Parecidos, aunque no iguales. Parecerse es estar en la misma orilla, no necesariamente en el mismo sitio y respirando el mismo aire, sino abarcando la misma vista panorámica. En la amistad no hay que ponerse en el lugar del otro, porque ya estamos allí.

"Entiendo cómo te sientes", "Comprendo lo que quieres decir", "Yo hubiera hecho lo mismo": ¿habrá frases más tranquilizadoras, más alentadoras, para seguir en el amor y ahondar la *philia*? Saber que me entiendes me libera de todo testimonio, de toda duda, me hace pensar que me aceptas, que somos semejantes.

Entonces no se trata de parecernos en cualquier cosa, sino en aquellas características que son verdaderamente importantes para uno y la relación, y sobre gustos no hay nada escrito. Por ejemplo, algunas de las semejanzas encontradas por los investigadores entre personas que se agradan mutuamente son: ser expresivos emocionalmente,[38] fumar marihuana,[39] pertenecer a una determinada religión,[40] practicar sexo prematrimonial,[41] ser conservadores en lo sexual,[42] levantarse temprano,[43] ser parecidos físicamente[44] y tener autoconceptos similares.[45] La lista, obviamente, es mucho más extensa.

Pero si la semejanza es tan importante para establecer una relación estable, ¿por qué nos equivocamos tanto a la hora de elegir pareja? Dos posibilidades:

a) Porque confiamos excesivamente en el amor y pensamos que amar es un paliativo para todos los males. ¿Qué importa entonces que seamos tan distintos, tan opuestos, tan en sentido contrario, si tenemos el amor de nuestra parte? *Malas noticias: algunas diferencias psicológicas alejan más de lo que acerca el amor.*

b) Nunca nos detenemos a pensar racionalmente cuán parecidos o diferentes somos de nuestra pareja. Por eso las discrepancias nos toman por sorpresa. A veces, disparidades tan simples como la hora de levantarse o de acostarse pueden afectar todo el clima afectivo. Insisto, no digo que tengamos que ser iguales, pero las similitudes deben ser necesariamente más y mejores que las disparidades. *No se trata de complementarse punto a punto, sino de acompañarse.*

Cuando seleccionamos pareja, no sólo elegimos el o la amante, también elegimos un amigo en potencia, la *philia* de la alegre coincidencia. Por eso Séneca y Plutarco concordaban en decir que uno de los secretos de la buena amistad es saber elegir a los amigos.[46]

2 | Proximidad/contacto: "Una buena relación propicia la cercanía y la intimidad"

La proximidad con la persona amada es un factor crucial para que la amistad de pareja prospere. No me refiero al apego ansioso o a la necesidad de estar codo a codo las veinticuatro horas como una garrapata, sino a los encuentros regulares que necesita cualquier relación para obtener intimidad. Es en los lugares en común donde *philia* echa raíces.

Sin embargo, *philia* también requiere un espacio de reserva personal donde la individualidad no se pierda: la "*autophilia*", ser amigo de uno mismo sin interferencia. Proximidad no significa pérdida de autonomía. En una relación saludable e inteligente uno nunca se siente acorralado o sofocado por el otro, porque cada cual sabe el límite a partir del cual el afecto comienza a molestar. No hace falta internarse en una clínica de reposo o viajar a un costoso y deslumbrante spa para evitar el hostigamiento, basta con solicitar un descanso bajo el mismo techo, *in situ*, estar juntos pero no revueltos. Y *philia* sigue su curso.

En general, uno no se aburre de la amistad amorosa o al menos no se cansa de amar a la pareja cuando la relación es buena: la proximidad bien administrada fomenta la intimidad afectiva y la afinidad. Ése es el círculo positivo, la espiral de ascenso de *philia*: hacer de los contactos un motivo de alegría y no de penuria. Cicerón afirmaba: "Las amistades no deben provocar cansancio, como suele ocurrir con otras cosas. Las más antiguas, como los vinos que alcanzan madurez, deben ser más deliciosas" (p. 69).

3 | Intercambio de reforzadores: "Una buena relación es esencialmente gratificante"

Hay un precepto en las relaciones afectivas relacionado con el punto anterior que no cambia ni cambiará, aunque los amigos del romanticismo entren en crisis y protesten: "Nos sentimos atraídos por quienes nos satisfacen y gratifican". Es la teoría de la gratificación de la atracción: *elegimos a quienes nos brindan la mayor cantidad de estimulación positiva.*[47] ¿Amor lucrativo, interesado? Sólo en parte y no de manera consciente y acaparadora. La susceptibilidad hacia los refuerzos y los castigos forma parte de nuestra herencia más arcaica: buscamos el placer y escapamos al dolor, es la mecánica natural de la supervivencia.

Se sabe que las parejas con problemas tienden a presentar más intercambios negativos que positivos. Por eso uno de los mejores tratamientos es precisamente incrementar la frecuencia de los reforzadores de ambas partes.[48] ¿De qué otra manera podríamos generar bienestar y satisfacción en una relación?

Por lo tanto, *philia* se fortalece en aquellas relaciones donde sus miembros son tanto dadores como receptores de comportamientos gratificantes. La fórmula es sencilla: *recibir con agradecimiento los refuerzos y entregarlos con desprendimiento*. Si los castigos prevalecen sobre las gratificaciones, el amor deja de ser amigable; y *philia* no es tan ciega como *eros*: los "amigos" que nos lastiman se marchitan en un instante. "Amar es alegrarse", decía Aristóteles. Esa alegría, ese júbilo, tiene mucho que ver con el número y la calidad de las recompensas, ya sea materiales, emocionales o ambas.

Aunque una buena relación comparte todo (lo agradable, lo útil, lo bueno y también lo malo), lo que cuenta es que el balance sea positivo. A todos nos interesa el abrazo, el piropo, la caricia, el detalle y repetir varias "lunas de miel". Ésa es la dinámica motivacional de la convivencia. Cicerón hablaba de la amistad como un intercambio recíproco de favores, ayuda mutua, devolver un favor con otro. Sin llegar a ser tan puntillosos y milimétricos, hay mucho de cierto en sus palabras. En la vida cotidiana, las parejas mejoran sustancialmente cuando deciden preocuparse más por el bienestar de su compañero o compañera. *Philia* es la mezcla ponderada y racional entre lo concupiscente (recibir beneficios) y lo benevolente (entregar bienestar).

Nuevamente Aristóteles y su realismo: "La amistad dura más cuando los amigos reciben las mismas cosas el uno del otro". Y esto nos lleva al próximo punto, la repartición justa y equitativa de los reforzadores.

4 | Equidad/justicia: "Una relación injusta genera desamor"

Cuando percibimos que el balance costo/beneficio de nuestra relación no es equitativo, entramos en crisis: nos sentimos explotados o nos sentimos culpables.

Consideramos que una relación es justa cuando *lo que obtiene cada miembro de la relación es proporcional a lo que cada uno ha invertido en ella.*[49] Si dos personas reciben beneficios iguales pero no han contribuido de manera similar, alguien puede sentir que la retribución ha sido injusta. No se trata de convertir la relación afectiva en un sistema financiero, sino de mantenerse digno, aun si la decisión es entregar mucho más de lo que se recibe.

Una premisa marxista puede ubicarnos en el justo medio: "De cada cual según su capacidad y a cada quien según su necesidad". Una *philia* sin plusvalía. "Sólo hay amigos cuando hay igualdad", decían los griegos. Se me preguntará: ¿igualdad de qué o en qué, si nadie es igual a nadie? La respuesta es: *igualdad de derechos. Igualdad proporcional, complacerse recíprocamente sin sacar ventaja.*

Si bien es cierto que en las relaciones de largo plazo, como el matrimonio o las viejas amistades, por lo general no hacemos balances entre lo dado y lo recibido,[50] hay situaciones donde pese a nuestra aversión la contabilidad aflora. Por ejemplo, podemos ayudar a un amigo en desgracia de manera desinteresada, pero si más adelante el supuesto amigo se niega a darnos una mano cuando lo necesitamos, el recuento aparecerá de manera automática y la memoria se encargará de recuperar los saldos en rojo. Nos duele el amigo que no nos corresponde, así volvamos a correr en su auxilio y lo perdonemos varias veces, nos duele el desdén de la persona que queremos. El amigo, decía Ovidio, se conoce en el hecho incierto. Recordemos que *philia* no es *ágape*. *Philia* aún está aferrada a ciertos egoísmos, no es la entrega total, el amor en retirada, sino la reciprocidad. *Philia* todavía ama más a los amigos que a los enemigos, *philia* reclama justicia.

Preguntas que surgen: ¿qué pasaría si de alguna manera tu dignidad se ve afectada por la persona que amas? ¿Qué deberíamos hacer si nos sentimos explotados por nuestros amigos o por la pareja? ¿Cuál es el límite?[51] Una mujer ejecutiva, casada y con tres hijos pequeños, manifestaba lo siguiente: "No me parece justo. Yo trabajo igual que él y más... Me toca administrar la casa, hacer tareas con los niños, encargarme de planificar las vacaciones, de llevar el automóvil al taller... No, definitivamente me cansé... Él me dice que soy egoísta, que no lo comprendo, pero ¿qué debo comprender?... Y como si fuera poco, es exigente".

¿Qué debería hacer esta mujer? ¿No llevar cuentas? ¿Dejar que el marido siga actuando de manera acomodaticia? Es fácil olvidarse de la reciprocidad cuando la pareja que tenemos es justa y equitativa, pero si la otra persona es abusiva, la cuestión cambia, el amor se enturbia.

Conclusión: *los que participan en una relación equitativa se sienten más contentos, y los que están en una relación que consideran injusta se sienten más ansiosos y deprimidos.*[52]

Ésos son los datos, ésa es la realidad. Afortunadamente, hoy día las parejas jóvenes tienden a establecer relaciones más simétricas: ambos trabajan, las tareas domésticas están repartidas y el machismo va en decadencia,[53] aunque las feministas no lo crean.

5 | Confianza: "Los miembros de una buena pareja tienen la certeza de que el otro nunca les hará daño intencionalmente"

En *Ética a Eudemo*, Aristóteles manifiesta que: "Los verdaderos amigos no cometen injusticias unos con otros". Es imposible sostener una relación de amistad si no hay credibilidad. Y por credibilidad entiendo la confianza básica: la certeza de que la persona amada nunca nos hará daño intencionalmente.[54] Obviamente, una certeza condicionada al factor humano, a la buena voluntad, pero de cualquier forma imprescindible.

La credibilidad está directamente relacionada con la percepción de sinceridad, es decir, la autenticidad de la persona, su honestidad.[55] Si hiciéramos una encuesta informal sobre qué no le perdonaríamos a un amigo, la respuesta sería sin duda la deslealtad. ¿Habrá algo que duela más que la traición de la persona amada?

Un hombre me decía que debía mantener bajo control a su esposa porque ya le había sido infiel cuatro veces, una de ellas con su mejor amigo. En otro caso, una mujer no era capaz de replicarle nada a su novio porque pensaba que en un momento de furia él podría matarla de un tiro. La *antiphilia*, el *antiágape*, el antiamor.

Cicerón, otra vez: "El principal apoyo para la estabilidad y constancia que buscamos en la amistad es la lealtad, pues nada es estable si se es infiel". La lealtad, la primera y principal virtud de la *philia*. Ser franco incluso en la deshonestidad, ésa es la paradoja de la amistad que intenta resarcirse a sí misma: "Te engañé, lo siento". ¿A quién no le duele semejante noticia? Pero al menos lo sabemos: "Ya no podré contar contigo, o quizás haya otra oportunidad de que volvamos a intentarlo algún día, no estoy seguro, pero al menos fuiste honesto".

El buen amigo no oculta sus defectos, los pone sobre la mesa para señalarnos el peligro de creer en él más allá de lo conveniente.

No necesitamos amigos que sean un dechado de virtudes, no serían confiables. Necesitamos amigos sinceros, jamás perfectos.

"¿Cómo creer entonces en la pareja?", me preguntaba una mujer angustiada por el miedo a perder a su esposo. Hay dos caminos que se entrelazan y ninguno es infalible: por un lado, el corazón que intuye, la fe, aunque se equivoque a veces y, por el otro, el tiempo, los años de convivencia, las vicisitudes, la vida compartida, la realidad que se va haciendo *philia* y superando el examen. El amor es un riesgo que hay que vivir.

La *philia* y los estilos de apego

Tal como ya expliqué antes, el apego que genera *eros* está relacionado con la necesidad de posesión y el deseo de fusión. Se trata de una adicción orientada por el placer, una necesidad básicamente emocional y bioquímica. Por su parte, la *philia* produce un tipo distinto de apego, aunque en situaciones límite pueda parecerse bastante al del amor pasional. La dependencia en *philia* es más psicológica, más cognitiva, más orientada a la búsqueda de seguridad y confianza, que a conservar el placer.

Un aspecto común a todas las relaciones íntimas es la interdependencia, es decir, la implicación y asociación profunda con el otro. Influencia mutua y necesidad mutua: parientes, amigos, novios o cónyuges, los vínculos que nos mantienen vivos. Algunos autores sostienen que el apego (no como adicción sino como vinculación afectiva sana) constituye uno de los tres sistemas básicos de las relaciones cercanas: sistema sexual (*eros*), sistema de interés/protección (*ágape*) y sistema de apego (un tipo de relación similar a la *philia*, pero más básica).[56]

El modo en que las madres y los padres se relacionan con sus hijos durante la temprana infancia tiene fuertes implicaciones en las relaciones afectivas futuras, aunque no de manera irreversible.[57] Con la ayuda adecuada, muchos de esos patrones aprendidos pueden desaprenderse y ser reemplazados por otros más funcionales, si fuera el caso.[58]

Hace algunos años, la Organización Mundial de la Salud solicitó al psicólogo John Bowlby que estudiara la salud mental de los niños desamparados de Londres.[59] Este autor encontró tres tipos principales de apego en la infancia que nos predisponen, al menos en parte, a establecer algunos tipos de relaciones afectivas.[60] Veamos cada una de ellas.

1 | Apego seguro

Sesenta por ciento de niños y adultos manifiesta un apego seguro.[61] Se cree que unos padres sensibles facilitan este estilo equilibrado. Los niños seguros sienten algo de temor cuando la madre se aleja, pero cuando regresa la reciben con alegría y siguen explorando el medio y jugando con naturalidad. Los adultos educados en esta modalidad se acercan a los demás sin problemas, no sufren de adicción afectiva y no les preocupa el abandono o el rechazo. Sus relaciones tienden a ser satisfactorias, duraderas y no conflictivas, y disfrutan de una dependencia saludable.[62] Se ven a sí mismos como amables y tienen una imagen positiva de la gente y de sus padres. No son especialmente ansiosos y son capaces de establecer relaciones cómodamente. El esquema afectivo es como sigue: "Soy querible y la gente es buena".

2 | Apego inseguro/evasivo

Veinticinco por ciento de niños y adultos manifiesta el patrón inseguro/evasivo. Padres indiferentes que se muestran distantes y que no suelen prestarles atención a sus hijos afectivamente son los responsables de este estilo. Estos niños no parecen alterarse cuando la madre se ausenta ni muestran alegría con su regreso. Los adultos que han sido educados con este estilo tienden a rechazar las relaciones íntimas, son desconfiados y autónomos. Son más propensos a las aventuras sexuales esporádicas que a establecer vínculos estables. Pueden tener un buen autoconcepto, pero consideran que las demás personas no son confiables y no podrán contar con ellas.[63] Aunque también pueden mostrar ansiedad, su estructura psicológica es básicamente pesimista en el amor. El esquema afectivo es como sigue: "Soy querible y la gente es mala".

Eduardo era un hombre de cuarenta y dos años que nunca se había casado. El motivo de acudir a consulta tenía que ver con una confusión afectiva: hacía tres años que salía con una mujer y no sabía si la quería o no. Era el solterón de la familia y aún vivía con su madre, una mujer viuda muy inteligente y controladora. Eduardo administraba las finanzas de la casa y a veces tenía que soportar las actitudes displicentes y agresivas de su progenitora. El preferido de la señora había sido su hijo menor, un *playboy* cuya adicción al *crack* inexplicablemente ella subvencionaba pese a los reclamos de los demás integrantes de la familia. Eduardo sentía que sus padres nunca lo habían aceptado realmente. Desde pequeño se sintió desplazado y la abuela lo "adoptó" afectivamente. Sin embargo, pese a las buenas intenciones de la anciana, la atención que le brindó no fue suficiente para compensar el abandono afectivo maternal y paternal que había sufrido su nieto.

Eduardo no creía en la gente y menos aún en las mujeres. Una vez me dijo: "Mi padre fue una víctima de la frialdad de mi madre. No entiendo cómo tuvieron hijos. Ella permanentemente lo criticaba y se lamentaba de haberse casado con él. Por eso mi padre se buscó a otra mujer. Desde que tengo uso de razón tuvo amante, pero lo sorprendente era que a mi madre no le importaba". Eduardo había tenido un sinnúmero de relaciones, pero nunca se involucraba demasiado. Más aún, cuando sentía que podía llegar a enamorarse, se alejaba de inmediato. Sin embargo, en este caso la estrategia no había funcionado ya que su novia rompía todos sus esquemas. Era tierna, comprensiva, inteligente, equilibrada e independiente. En más de una ocasión había tratado de magnificar sus defectos sin mucho resultado. No tenía quejas.

EDUARDO: ¿Qué cree usted que deba hacer?

TERAPEUTA: Eso debes decidirlo tú mismo.

EDUARDO: Pero podría darme al menos una indicación, usted la conoció... ¿Le parece confiable?

TERAPEUTA: Mi opinión no es tan importante, puedo equivocarme de cabo a rabo. Además, tú eres el interesado... ¿Qué te dice tu instinto?

EDUARDO: ¡Mi instinto está atrofiado!

TERAPEUTA: ¿Qué dice entonces tu corazón?

EDUARDO: No sé leer sus mensajes.

TERAPEUTA: No puedes hacerlo porque tu mente desconfía demasiado. Ha habido mucha interferencia, infinidad de virus, lo que llamamos creencias irracionales, ¿recuerdas?

EDUARDO: Sí, sí... El amor para mí es un problema... Yo sé que ella es espectacular, sería la mujer ideal para cualquiera. ¿Qué me detiene, entonces?

TERAPEUTA: El miedo.

EDUARDO: ¿El miedo a qué?

TERAPEUTA: A la indiferencia, a que no te quieran, a que te lastimen. Miedo a soltar el freno de emergencia y deslizarte cuesta abajo.

EDUARDO: Tengo miedo de equivocarme.

TERAPEUTA: Todos lo tenemos. No puedes amar sin correr riesgos. Además, ya es hora de que dejes de echarle la culpa a tu historia. La autocompasión nunca te ha servido de nada.

EDUARDO: ¿Cree que es una buena mujer?

TERAPEUTA: ¿No es obvia la respuesta para ti?

Finalmente, entre estirar y aflojar, Eduardo se casó hace un año y está feliz con su decisión. El pasado no nos condena. Por más que hayamos sufrido en la infancia, una buena relación puede actuar como un bálsamo. No creo que el amor cure nada: las que curan son las personas cuando son dulces y comprensivas. Eduardo tuvo que pasar de un esquema de pesimismo crónico, casi esquizoide, a un optimismo moderado. La experiencia afectiva del día a día se encargó de terminar de desconfirmar sus creencias negativas. No tuvo que hacer nada especial, ni resolver los viejos rencores que sentía hacia su madre, sólo tuvo que amar a su mujer y dejarse amar.

3 | Apego ansioso/ambivalente

Quince por ciento de los niños y adultos manifiesta el estilo ansioso/ambivalente. Los padres de estos niños son inconsistentes en la expresión de afecto. Algunas veces responden a sus necesidades con amor y preocupación y otras no les prestan atención. En una situación desconocida, estos niños se aferran desesperadamente a su madre y tienen miedo de quedarse solos; lloran cuando sus progenitores se alejan y son indiferentes u hostiles cuando éstos regresan. De adultos pueden enamorarse y desencantarse con facilidad y tienden a romper repetidamente con la misma persona. Se preocupan demasiado de que su pareja no los quiera y son altamente dependientes. También suelen ser celosos, posesivos y muy emotivos e irritables ante los conflictos con su pareja.[64] Su autoconcepto no es bueno y ven a las personas de manera ambivalente, a veces queribles y a veces no. El esquema afectivo muestra dos facetas que pueden activarse alternativamente: "No soy querible y la gente es mala" o "No soy querible y la gente es buena".

El primer componente hará que sus estrategias de afrontamiento sean defensivas y/o agresivas. El segundo producirá un patrón de fuerte dependencia

Recuerdo el caso de Clara, una jovencita de diecisiete años que había terminado con su novio más de veinte veces. El padre de Clara era un hombre extremadamente estresado que se relacionaba con ella según los indicadores de ventas de su empresa. Su madre era una mujer extremadamente infantil, con baja tolerancia a la frustración, que manejaba su vida con todo tipo de pataletas. Ambos progenitores eran muy temperamentales e impredecibles.

Clara, pese a su corta edad, había comprendido desde niña que debía vivir en un mundo afectivo supremamente desordenado e incierto. En sus palabras: "Mire, doctor, yo ya tengo muy identificadas las cosas. Mi papá es un ser que no se soporta ni él mismo. Mi mamá es como mi hermana: la estoy cuidando desde los doce años cuando entendí que era una inmadura total. Todo en mi familia es inestable y contradictorio. Mis padres pasan del amor al odio en un instante. En una hora usted puede oír los peores insultos y las mayores expresiones de afecto. ¿Cómo quiere que tenga una relación normal con mi novio? Yo sé que no debo escudarme en eso para desligar mi responsabilidad en el asunto. Pero hay dos cosas que tengo muy claras: una es que tengo que mejorar y no parecerme a ellos y la otra es que quiero irme a estudiar a otra parte, lo más lejos posible. Espero que usted los convenza". Antes del año, había roto definitivamente con su novio y ya tenía lista la entrada a una universidad en Inglaterra. En ocasiones es imposible curar una enfermedad si el sujeto habita una zona endémica. Escapar no siempre es malo. Por un e-mail reciente supe que conoció a un muchacho holandés y, a pesar de que a veces se le dispara el mal genio, vive contenta y afectivamente realizada.

Muchos casos de apego ansioso/ambivalente no corren con la misma suerte. El conflicto suele estar más arraigado y se requieren muchas horas de terapia. Posiblemente mi joven paciente, debido a su inteligencia y astucia, logró no involucrarse demasiado en la dinámica afectiva de sus padres. El método utilizado por ella es muy efectivo para no dejarse lastimar inútilmente: poner el problema afuera cuando no nos compete y hacernos cargo de él cuando sí nos atañe.

Para no sufrir

- Como te habrás dado cuenta, es imposible que exista una relación perfecta: inevitablemente la convivencia tendrá momentos buenos y malos. No obstante, si hay un buen clima afectivo, las desavenencias serán asimiladas correctamente *y no habrá resentimiento*. Los problemas normales, es decir, los que no afectan la dignidad personal, son oportunidades para acoplarse mejor. ¿De qué otra manera podríamos crecer en una relación si no es por ensayo/error?

Así que no te asustes si has encontrado diferencias con la persona que amas, no hay compatibilidad total. Repasemos algunos principios sobre la amistad de pareja para que puedas reflexionar al respecto y fortalecer tu *philia*.

Ser compatibles en lo fundamental

- ¿Qué es lo fundamental? Los valores, las creencias esenciales, la ideología, la dignidad. Como ya dije, no debes pensar *exactamente* igual que tu pareja, eso sería imposible, además de aburrido. La semejanza implica aceptar variaciones sobre el mismo tema, tonalidades distintas, diferencias de énfasis, pero no de fondo. Un pluralismo de dos, donde haya disputas cordiales, manejables y normales. Esto fortalece la relación.

- Si sientes que la persona que amas está en la orilla opuesta, pregúntate si se trata de cuestiones esenciales o no. Hay cosas que son negociables, aunque a primera vista no lo parezcan. "No puedo vivir con el desorden de mi marido", me decía una mujer ya entrada en años. "Sí puede, lo ha hecho durante casi treinta años", le respondí. El problema real se manifiesta cuando empiezas a percibir que ciertas cosas no cuadran con tus principios y la molestia va haciéndose cada vez más visceral y menos racional. Es cuando el cuerpo ofrece resistencia. ¿Qué harías si descubres que tu esposo es un abusador sexual? ¿Qué harías si supieras que tu esposa te es infiel o te roba dinero? Hay incompatibilidades irresolubles.

- Por el contrario, si el acuerdo sobre lo fundamental existe, serás compinche de la persona que amas, amigos de travesuras, de juego y de humor. Si coinciden en la risa, todo anda bien, y si se encuentran en los silencios, mejor aun. Algunas personas, influidas por la creencia de que deben comunicarlo todo, hablan más de la cuenta. Es curioso que sea así, pero a veces hay que cerrar la boca para lograr acuerdos.

- He conocido relaciones que se asemejan a un *match* de boxeo, donde los golpes no son físicos sino verbales. El amor va tomando la forma de una controversia constante que no solamente los afecta a ellos sino a quienes están cerca. Recuerdo que en cierta ocasión fui a pasar una semana a la playa con una pareja de amigos totalmente incompatibles: a él le fascinaba el trago y ella era abstemia, a ella le encantaba tomar sol todo el día y él no salía de la sombra, ella fumaba y él era alérgico al humo del cigarrillo. Si él contaba chistes verdes, ella se enfurecía, y cuando él quería hacer el amor, a ella le dolía la cabeza. Con la educación de los hijos ocurría algo similar. Mi descanso fue estresante. ¿Por qué siguen juntos? Ellos dicen que se aman.

- Tu pareja debe ser tu compinche: no tu alma gemela ni tu peor adversario, sino un ser semejante a ti, alguien que pueda indignarse o asombrarse cuando tú te indignas o te asombras.

- ¿Cómo te das cuenta si estás con la persona adecuada? Porque casi todo fluye de manera relajada y natural. No tienes que pasar horas tratando de convencer al otro sobre cuestiones que para ti son más que obvias. ¿Cuáles serían aquellos ingredientes mínimos para que una relación sea funcional? Básicamente dos: *tranquilidad* y *deseo manejable*. Tranquilidad de que no estás con el enemigo en casa, de que militas en el mismo bando. Y un *eros* dispuesto, sin adicción.

- Las incompatibilidades pueden variar, al igual que las soluciones. Por ejemplo, los miembros de una pareja pueden estar en desacuerdo con la invasión a Irak y no pasar de allí: oposición razonada y razonable que no afecta el amor. Pero si ella es fundamentalista islámica y él fanático de Bush, es probable que el reflejo de la guerra llegue hasta ellos. Otro ejemplo no tan guerrero. Él es italiano, viene de una familia de cocineros, adora la comida y piensa que cocinar es un ritual alquímico. Ella es anoréxica, odia las grasas, piensa que las pastas son algo así como un veneno amañado en forma de tiritas y el olor a comida le da náuseas. Supongamos que en un acto de amor sin precedentes él decidiera cambiar su afición, renunciar a su tradición y olvidarse del placer de cocinar, todo por amor. Si eso ocurriera, tal como yo veo las cosas, habría un problema ético: él estaría patrocinando la enfermedad de su mujer y sería cómplice de la anorexia. Su acto de amor, paradójicamente, terminaría reforzando la enfermedad de la persona que dice amar. Aclaremos que la anorexia no es una posición política ni un acto de protesta al servicio de un ideal social, sino una enfermedad. Pero habría otra opción: que el acto de amor surgiera de ella y decidiera combatir el trastorno de alimentación "por amor", aunque suene cursi. Es probable que nunca se convirtiera al "italianismo", en el sentido de tener orgasmos frente a una lasaña casera, pero sí podría pelear con la anorexia y hacer de su vida personal una experiencia más saludable, a la vez que culinariamente feliz a su frustrado marido.

- Así que hago los mejores augurios para que no tengas que explicarle el chiste a tu pareja cada vez, ni tengas que suplicarle que te acompañe a un concierto o a ver una película. También espero que tus sueños y aspiraciones no te lleven al sur, si tu media naranja añora ir al norte. Tú eres quien debe decidir si se justifica hacer el esfuerzo o no para que las cosas mejoren. Eso sí, define un límite de tiempo, nadie está obligado a sufrir más de lo necesario.

Admiración sin idolatría

- Admirar a tu pareja es saborearla. Cuando te maravillas de su ser, no sólo de sus habilidades o de las cosas en que sobresale, sino de su esencia, el camino de la convivencia se allana. Es imposible amar a quien no admiras. La buena convivencia, la *philia*, te llevará a descubrir incansablemente al otro sin agotarlo. Si la persona que quieres pasa desapercibida para tus sentidos, si ya nada te sorprende de él o ella, si su comportamiento es tristemente predecible, el amor entró en decadencia. Admirarse es asombrarse.

- Puedes admirar sin amar, pero no lo contrario. Admiramos a mucha gente, pero sólo amamos a una (o en el peor de los casos, a dos). El problema, la mala noticia, es que cuando la admiración se acaba, recuperarla es casi imposible, y digo "casi" para no quitarte las esperanzas. Si estás desilusionado o desilusionada de tu pareja tienes que hacérselo saber, para que él o ella intente algún procedimiento de resucitación, aunque el pronóstico sea reservado. El amor tiene dos enemigos principales: la *indiferencia*, que lo mata lentamente, y la *desilusión*, que lo elimina de una vez.

- Pero admirar no es venerar, no es hacer un culto a la personalidad y ubicarse como un "auxiliar afectivo". He conocido mujeres que idolatran a sus maridos de manera reverencial. Si confundes admiración con idolatría, te negarás a ti misma o a ti mismo. Tu pareja no es la reencarnación de algún antiguo maestro espiritual, ni el rey de Babilonia o la reina de Saba. Piensa: si crees que él o ella es tan especial, terminarás sintiéndote honrada u honrado de que esté contigo, cuando simplemente deberías sentirte feliz.

- Lo saludable, lo que *philia* necesita, es que la admiración sea mutua. ¿Te sientes admirada o admirado por tu pareja?, porque si no es así, hay que apuntalar la autoestima con urgencia. Si tu pareja te critica y no reconoce lo que debería reconocerte por derecho, estás en un problema serio, ya que no puedes imponer que te quieran o que te admiren. El amor no se obliga, la admiración tampoco. Aunque te duela (y debemos reconocer que en ocasiones la mejor manera de vencer el sufrimiento es sufrir con fundamento): si no te admiran, no te aman de manera completa. El amor es la conjunción equilibrada de *eros*, *philia* y *ágape*. Puede que te deseen y que te cuiden, pero si no te admiran, *philia* está ausente, el amor anda cojo.

Amor justo, amor digno

- Dos aclaraciones para que tengas en cuenta. En primer lugar, tal como verás en el apartado de *ágape*, hay ocasiones en que el amor se transforma en compasión y el balance costo/beneficio se inclina a favor del más necesitado. En segundo lugar, promulgar un amor justo y recíproco no significa que hagamos del vínculo afectivo un intercambio mercantilista en el que haya que llevar una contabilidad detallada de pasivos y activos.
- No existe igualdad absoluta en ninguna relación interpersonal. Lo importante es que no te sientas explotado o explotada y que nada afecte tu dignidad personal. La justicia implica igualdad de derechos, y si por alguna razón quieres

renunciar a ellos, que sea por convicción y no por miedo o apego. Lo importante es que no te autoengañes. Spinoza decía: "La justicia es la disposición constante del alma de dar a cada uno lo que le corresponde", y Aristóteles afirmaba que la justicia es una "especie de proporción". Reciprocidad proporcionada: es decir, que tus necesidades afectivas básicas se vean satisfechas de manera realista.

- La amistad, por más amorosa que sea, nunca es totalmente desinteresada, así que no debes sentirte mal si esperas retribución. Tienes derecho a buscar la equivalencia: si entregas fidelidad esperas fidelidad, si prodigas afecto esperas afecto, si das sexo esperas sexo, si eres honesto esperas honestidad. No olvides que lo que define la convivencia es esencialmente el intercambio amistoso, pero intercambio al fin de cuentas.

- No es negociable una relación donde la dignidad está afectada. Si sientes que das mucho más de lo que recibes o que tu pareja tiene más derechos que tú y esto te molesta, sé asertiva o asertivo y exprésalo, porque si no haces nada al respecto, el rencor desplazará al amor.

Confianza básica

- ¿Confías en tu pareja? ¿Estás seguro o segura de que nunca te lastimará intencionalmente? La *philia* no puede existir sin confianza, sin la seguridad de que estamos en buenas manos. Es imposible vivir en la duda y en la incertidumbre. ¿Pondrías tu vida en manos de tu pareja con la seguridad de que haría todo lo posible y lo imposible para salvarte? Si la respuesta es "no sé, no estoy seguro", tu relación ha entrado a terapia intensiva. Si no tienes confianza en la persona que dices amar, no la amas. No hablo de ser ciego, sino de alcanzar la convicción profunda de estar a buen resguardo.

- No hay mucho más que decir aquí. ¡Es tan obvio! Así como la desconfianza impide mantener una relación de amistad, también impide una relación de pareja. En esto debes tener absoluta claridad. En una relación afectiva estable abres tu corazón y tu mente, te muestras como eres, te abandonas en el otro como un acto de fe. Por lo tanto debes tener la seguridad de que nada será usado en tu contra. No digo que tengas que poner a prueba a la persona que amas o tenderle trampas, porque la vida se encarga de ello. No es honesto hacerlo y estarías actuando como no quisieras que actuaran contigo. Tampoco hablo de que te vuelvas paranoico y estés prevenido o prevenida todo el tiempo. Pero es imposible amar si hay miedo. Krishnamurti decía: "El amor es ausencia de miedo". Si no hay miedo no hay sufrimiento.

TERCERA PARTE

ÁGAPE

De la simpatía a la compasión

Ama y haz lo que quieras.
La medida del amor es amar sin medida.
San Agustín

La ternura es el reposo de la pasión.
Joseph Joubert

Si hemos logrado integrar de manera ponderada y unificada a *eros* (deseo) y *philia* (amistad), la percepción será de que todo está bajo control, que sin lugar a dudas habremos logrado armonizar una relación sana y perdurable. ¿Qué podría faltarnos? Nos deseamos con pasión y nos realizamos mutuamente en la alegría compartida, ¿qué más se puede pedir?

Pero hay más. El amor sigue su curso y no se detiene allí. Hay un tercer nivel en la evolución afectiva. *Eros* se transforma en *philia*, que lo incluye, y a su vez *philia* se conecta a un nuevo amor que incluye ambos.

Un amor distinto a los anteriores, que no sufre, no ambiciona tanto como *eros* ni espera tanto a cambio como *philia*. Un amor que salta por encima del "yo quiero" erótico y del "tú y yo" amistoso, para ubicarse enteramente en el "tú". No soy "yo" ni somos "nosotros", eres "tú" en primera instancia, en primera persona. A este amor se le denomina *ágape*: el amor desinteresado que da y se entrega sin más.

Se me dirá que semejante amor es imposible en una relación humana y real; sin embargo, la dulzura y la delicadeza suelen estar presentes en las relaciones funcionales. En ocasiones, decidimos dar sin esperar nada a cambio o sentimos la urgencia profunda y determinante de buscar el bien del ser amado aun a costa de nuestro ego. De vez en cuando sucede y es maravilloso que así sea. Como lo explica muy bien Comte-Sponville:[1]

> [...] se pasa del amor a uno mismo al amor al otro y del amor interesado al amor desinteresado, de la concupiscencia a la benevolencia y a la caridad, en suma, de *eros* a *philia*, y en ocasiones (por lo menos como horizonte ideal), de *philia* a *ágape* [p. 279].

El amor evoluciona con los años, si todo va bien. Se descentra y los sentimientos se asientan, por decirlo de alguna manera. Es el viento en calma que no pierde su fuerza y se contiene, que se niega a lastimar al ser con quien compartimos el amor. Y no hablo de incondicionalidad ciega y permanente sino de querer ayudar y comprender a la persona amada cuando nos necesita. "Allí donde hay necesidad, hay obligación", decía Simone Weil.[2]

Es la dimensión ética del amor que se transforma en altruismo. Es el camino de la otra pasión, la del sufrimiento que se regala. Benevolencia pura: "Daría mi vida por ti", dicen los que así lo sienten. ¿Darías tu vida por la persona que dices amar? No me refiero a los hijos, que es fácil y natural, sino a quien sólo se une a ti por la "voluntad amorosa" y no por la genética. ¿La darías? No sabemos, ¿verdad? Creemos que sí, quizá, llegado el caso...

En las relaciones interpersonales, *ágape* llega como el mar a la playa, la toca, la limpia, la refresca, pero no permanece porque la arena sería absorbida por el agua y desaparecería. Como dije antes, *ágape* ocurre en ocasiones, y en esos momentos nos despojamos de todo cuanto somos, la conciencia se vacía a sí misma y quedamos a merced del amor. *Ágape* es un regalo que nos hacemos y hacemos. Borges lo expone bellamente en el final de su poema "Baruch Spinoza":[3]

El más pródigo amor le fue otorgado,
el amor que no espera ser amado.

Despojado momentáneamente de *eros* y *philia*, me queda *ágape*, el amor que acoge y da.

La palabra *ágape* viene de *agapan*, que significa acoger con amistad (amar) y que en latín se ha traducido como *caritas* (el caro, el querido) y en español como *caridad*. Los griegos conocían a *eros* y *philia* y parece que no necesitaron definir otro tipo de amor, aunque existía el término *philantropia* para designar el aprecio al extranjero. Es sólo en el Nuevo Testamento donde aparece la revolucionaria alternativa amorosa de "amar al enemigo" (Mateo 43-47). El mensaje de Jesús va mucho más allá de lo que se aceptaba hasta el momento: no solamente se trata de amar al desconocido, lo cual de por sí es difícil, sino de amar a quien nos quiere perjudicar o, de hecho, nos perjudica.

Ágape agrupa todo el conjunto de esos amores difíciles: "Al prójimo como a ti mismo", al enemigo, a la humanidad, al desconocido, en fin, la extensión del amor hacia lo universal. No digo que sea imposible amar de esta manera, aunque hay que reconocer que la mayoría de nosotros no somos capaces de sentirlo a plenitud. "Amar a los enemigos" requiere algo más que buena voluntad, es la llamarada de la santidad o de la iluminación.

Pero en el amor hay que ser prácticos, no olvidemos que *eros* y *philia* también intervienen, uno con su afán por el placer y el otro con el énfasis en la reciprocidad. ¿Realmente somos capaces de no esperar nada de la persona amada? ¿Renunciarías a la reciprocidad que *philia* exige o al placer que *eros* impone? Amar a los enemigos es quizás el pináculo de un proceso ascendente en el que el amor evoluciona hacia lo espiritual, pero pretender convivir bajo el mismo techo con el enemigo, como si fuéramos compañeros del alma, es prácticamente imposible. Dicho de otra manera: *es más fácil amar al enemigo que casarse con él o ser su amigo*.

La condición de *ágape*

El *ágape* del amor de pareja, terrenal y realista, requiere una condición básica para que se pueda realizar sanamente: *que la persona depositaria del* ágape *no se aproveche de nuestras debilidades*. Darse sin restricciones a alguien que haga mal uso de nuestro amor agápico no es altruismo sino insensatez. Veamos un ejemplo.

Mónica fue educada con la idea de que una buena esposa debía ser incondicional y sumisa. Para ella, el amor de pareja era inseparable del deber conyugal y nada justificaba una separación. Su felicidad dependía exclusivamente de la satisfacción de su marido. Sin embargo, a pesar de los buenos augurios y el optimismo que suele acompañar a los enamorados, la relación tomó un rumbo inesperado.

Debido a la incapacidad de Mónica para oponerse, pensar por sí misma y ejercer sus derechos, el esposo, poco a poco, fue mostrando una faceta egoísta y dictatorial: llegaba tarde por las noches, no iba a dormir a la casa, no le daba dinero ni le compraba ropa mientras que él estrenaba cada semana, nunca salía con ella, no la dejaba tener amigas y criticaba su aspecto físico; en fin, el marido actuaba como un emperador con esclava incluida.

Como si fuera poco, la vida sexual de Mónica se convirtió en una verdadera tortura: el hombre la ataba, la golpeaba y abusaba sexualmente de ella cada vez que quería. Frente a semejante situación, ella optó por ser consecuente con sus creencias y puso en práctica la peor estrategia posible en los casos de maltrato: el amor incondicional. Cuanto más castigo recibía, más amorosa era su actitud hacia él. "Mi amor lo va curar", se decía a sí misma tratando de alimentar una esperanza tan absurda como imposible.

El día que llegó a mi consulta pesaba cuarenta kilos, mostraba laceraciones por todo el cuerpo y una severa depresión acompañada de ideas suicidas. Con mucho esfuerzo logró mantener las sesiones en secreto, ya que su marido le había prohibido pedir ayuda. Cuando su madre se enteró de lo que estaba sucediendo, le dio dos consejos: "No te apresures a tomar decisiones de las que te puedas arrepentir" y "Recuerda que a la gente hay que darle otra oportunidad". Afortunadamente, ninguno prosperó.

En una entrevista, Mónica expresó así su decepción: "Yo me entregué al hombre que amaba en cuerpo y alma y para toda la vida... Creí que con el amor era suficiente, pero me equivoqué... Siempre pensé que él merecía lo mejor... La conclusión me parece terrible: no es bueno entregarse totalmente ni amar de manera incondicional". Mi respuesta fue: "Depende de la pareja". Para que el *ágape* interpersonal prospere requiere un interlocutor que también muestre *ágape*. Una mujer que decidiera ser amorosa, delicada y tierna con un asesino en serie no tendría muchas opciones de salir con vida.

Finalmente se separó y al cabo de un año conoció a un hombre que pudo corresponder adecuadamente al amor que ella ofrecía. El escritor Cesare Pavese decía: "Serás amado el día en que puedas mostrar tu debilidad sin que el otro la utilice para afirmar su fuerza". Bella prueba. Nada que ocultar, nada que disimular, aquí estoy, con todo mi ser expuesto a ti.

Definitivamente, es más fácil amar a Dios que a las personas, porque no tenemos que convivir con Dios, al menos en un sentido humano. Algunos pensadores sostienen que una de las razones por las cuales los preceptos básicos del amor cristiano[4] y budista[5] aún no han logrado producir una transformación radical de la mente humana es porque proponen estados ideales de felicidad muy lejanos a la realidad. Antes de pretender alcanzar el Paraíso o el Nirvana, deberíamos comenzar por cuestiones más prácticas y menos rimbombantes; por ejemplo: *a*) intentar amar de manera más desinteresada (*ágape*) a las personas específicas de mi entorno y *b*) procurar ser menos indiferentes al dolor ajeno.

"Intentar", "procurar": la semántica del realismo que no olvida nuestra condición de seres imperfectos.

8. Dulzura y no violencia

Una buena relación afectiva debe ser esencialmente pacífica y rechazar todo tipo de agresión injustificada, verbal o física. Y entiendo por injustificada cualquier manifestación violenta que no sea en defensa propia.

La característica fundamental del amor no violento es *la capacidad de renunciar al poder, para evitar herir a la persona amada*. De manera similar a lo que ocurre cuando cargamos a un bebé y todo nuestro organismo se contiene para acomodarse a la fragilidad del recién nacido. *Ágape* implica replegarse, retroceder un poco para no molestar ni aplastar al otro.

En un sentido más espiritual, Simone Weil[6] hace referencia a que el acto creador de Dios consistió en despojarse de su divinidad para que la existencia del hombre tuviera lugar. La creación, según ella, fue un acto de "descreación" por amor. La voluntad divina y el *ágape* no serían otra cosa que la renuncia amorosa a ser más.

Aceptemos que no es fácil abandonar la prepotencia y adherirse sin condiciones a la debilidad o al dolor de la persona amada, sobre todo en una cultura en la que el poder, en cualquiera de sus formas, es un valor; pero no puede haber amor sin delicadeza, sin la profunda decisión de no lastimar. Transitar los caminos de *ágape* es negarse a ser el amo o el verdugo de quien se ama. No hay amor si hay abuso del poder, si hay dominación. El amor es lo contrario a la fuerza que se impone, es lo que se enfrenta a la cruel-dad. Si *eros* es la confirmación del "yo" que apetece, *ágape* es el "yo" que se repliega, que se retira por amor.

Respetarte es saber leer tus "no", tus inseguridades, reconocerlas de manera horizontal y no vertical, hacerlas mías sin contagiarme. Es ser exacto y cuidadoso en mis aproximaciones para no aplastarte con mi ego ni lastimarte con mi indiferencia. Amarte es ablandar el corazón.

Camilo siempre se había caracterizado por ser un hombre sensible y afectuoso. Estaba casado en segundas nupcias con una mujer ejecutiva exitosa y bastante motivada hacia el logro. A pesar de ser una excelente persona, Camilo era percibido por los demás como un individuo demasiado tranquilo, huidizo y poco competi-tivo en los negocios, lo que contrastaba marcadamente con el tem-peramento de su esposa.

La relación había comenzado a mostrar un desequilibrio en lo que a *ágape* se refiere: los comportamientos conciliadores de Camilo chocaban con la fortaleza y la indiferencia de su mujer. En una sesión le pregunté a ella qué tanto se preocupaba por su ma-rido y el gesto fue de sorpresa: "¿Por qué pregunta eso?... No sé, no creo que él tenga problemas importantes... Es un hombre in-dependiente, muy tranquilo... Cada uno tiene su mundo y así fun-cionamos bien... Siempre ha sido inseguro y por eso decidió pedir ayuda... Pero no creo que mi papel sea cuidarlo y convertirme en una nodriza, si a eso se refiere". El egoísmo es ciego. Camilo ha-bía comenzado a manifestar síntomas depresivos (recordemos que la esencia de la depresión es la soledad y el desamor), su puesto tambaleaba, sufría de migrañas, tenía problemas frecuentes con su familia, no estaba satisfecho sexualmente y pasaba por una crisis vocacional, entre otras dificultades. Todo lo anterior había pasado desapercibido para su esposa.

Las cosas empeoraron cuando Camilo contrajo una infección

respiratoria y tuvo que ser internado en una clínica durante diez días. En ese tiempo la esposa se mostró poco interesada en el proceso de su enfermedad y lo visitaba unos pocos minutos durante la hora de la comida; además, siempre estaba de prisa. En el cuarto día de la hospitalización, ella le comentó que se iba ausentar durante una semana para asistir a un seminario de actualización. Camilo no tuvo otra opción que resignarse y pasar esos últimos días en la clínica en el más absoluto abandono.

Cuando regresó a mi consulta, me dijo con tristeza: "Ahora entiendo lo que usted me dijo una vez... En el amor debe haber reciprocidad... No me siento amado ni protegido... Ella piensa que soy débil porque necesito afecto... El amor debe manifestarse en las buenas y en las malas... Ya no la quiero, me di cuenta en la clínica... Me cansé... No fue delicada con mi enfermedad... Subestima mis problemas, no hay ternura... A ella no le duele lo mío... Prefiero estar solo".

Sin *ágape*, ninguna relación funciona, porque la insensibilidad, tarde o temprano, genera desamor. La emoción que se siente ante la indiferencia no es la ira del despecho ni la angustia de la infidelidad, sino pura desilusión. Cuando nos damos cuenta de que no hay *ágape* todo se derrumba.

Si la persona que queremos nos pide cariño o apoyo, ¿por qué no acceder a sus pedidos, si hay amor? ¿Qué razones podría haber para negarle el afecto a la persona que amamos? No hablo de ser demasiado condescendiente, aunque a veces también se puede serlo, sino de reconocer como valederas y legítimas las necesidades del otro, apropiarse de ellas y colaborar.

La mujer de Camilo nunca fue incondicional cuando debía serlo: o no veía el sufrimiento de su esposo o lo subestimaba por "irracional". Pero ¿quién dijo que el dolor debe ser racional para mostrar compasión? Hubiera bastado una dosis mínima de afecto.

El ejemplo muestra que no siempre la ausencia de *ágape* se manifiesta en el maltrato físico o en la agresión manifiesta; en muchas ocasiones el golpe es más sutil y menos dramático, pero igualmente doloroso. ¿Cuántas veces de manera egoísta le generamos malestar a la persona que amamos o intentamos imponer nuestra supremacía aun a sabiendas de que no es lo correcto? Nuestro amor está contaminado de omnipotencia.

¿Qué hacer entonces para no lastimar ni agobiar al ser amado? Dos alternativas: atención despierta ("Escucharte con cada célula de mi cuerpo") y disponibilidad atenta ("Estar dispuesto a colaborarte con toda mi energía").

No siempre evaluamos el impacto que nuestros actos tienen en los seres queridos. Hacerlo implica descubrirnos en el terreno de las debilidades: "Porque soy débil, comprendo tu debilidad". Es la flexibilidad del amor que se despoja de la soberbia. Es fácil luchar por el poder, imponerse y competir, es fácil engordar el ego, sin embargo, es bastante más difícil entregar las armas pudiendo ganar la batalla, recogerse y apaciguar el instinto de supervivencia. ¿Por qué hacerlo? Por puro amor, porque sí.

Ágape significa buen trato, miramiento, asistencia, esmero en el contacto físico. *Ágape* es el conjunto de caricias bien distribuidas. ¿Cómo puede haber amor si hay brusquedad? La rudeza se opone al cariño, a la flor, al piropo que se nos escapa sin tanta gramática. ¿La muerte del erotismo? De ninguna manera. Aunque *eros* se modera en el *ágape*, nada opone la sexualidad al amor desinteresado. Puede haber sexo agápico, sexo cariñoso, apacible, dócil, sexo de entrega, sexo sin disputa, dos debilidades enredadas, tan expuestas como se pueda. Es el riesgo del amor, cuando el animal se humaniza.

Incluso puede haber un *eros* trascendente. Esta frase de san Agustín lo muestra claramente: "El amor es carne hasta en el espíritu y espiritual hasta en la carne, si no que lo diga Teresa de Ávila". Y para corroborar tal afirmación veamos un extracto del poema "Glosa", de santa Teresa de Jesús o de Ávila:[7]

> Aquesta divina unión
> del amor con que yo vivo
> hace a Dios ser mi cautivo
> y libre mi corazón;
> mas causa en mí tal pasión
> ver a Dios mi prisionero
> que muero porque no muero.

Poseer a Dios, ser poseída por Dios: la amante de Dios. *Eros* en toda su dimensión: la idea de fusión, la pasión desbordada y el deseo de posesión.

Ágape es la expresión más elaborada del afecto positivo, es la expresión natural del amor que se hace consciente de sí mismo en la benevolencia: besar, abrazar, rascar, sobar, peinar, vestir, acurrucar, alimentar, susurrar, arrullar, cargar, sonreír. Los cuidados intensivos del amor, sin tanta urgencia.

No sólo te deseo, no sólo me alegra tu compañía, sino que me nace cuidarte, con sosiego, sin obsesión, sin apego.

"El amor conlleva su propia disciplina"

Si hay *ágape*, la actitud protectora nace sin tantas condiciones. Krishnamurti[8] decía que "el amor conlleva su propia disciplina". Cuando amamos de verdad no necesitamos de tanto esfuerzo para que *ágape* se haga presente. El amor aliviana la carga de las exigencias o al menos las transforma y les confiere un sentido de responsabilidad indolora. ¿Qué padres normales se quejarían por cuidar a un hijo enfermo? El amor se desvela gustoso. ¿Quién en su sano juicio disfrutaría de ultrajar a la persona que ama? La violencia y el descuido por el otro riñen con el amor.

No te merece quien te lastima, no te ama quien te lastima. Si el amor es "la alegría de que existas", ¿cómo destruirte sin destruirme?

Detrás de la frase krishnamurtiana hay más. Se descubre la idea de que cuando el amor está presente, los valores se subordinan a él o, dicho de otra forma, se expresan espontáneamente porque el amor los contiene. ¿Debemos esforzarnos demasiado para ser justos, generosos o amables con los seres queridos? No, si hay suficiente amor. ¿Esconderíamos comida a las personas que amamos en época de hambruna para consumirla luego a escondidas? Más bien sería al revés: ¿no preferiríamos morir de hambre antes que ver sufrir a nuestros hijos? ¿No compartiríamos el pan con el ser amado?

Al amor no lo definen los deberes, nadie ama por obligación. Por eso, si aceptamos que el amor implica su propia disciplina, bastaría con amar. "Ama y haz lo que quieras" significa: despreocúpate, el afecto se encarga de todo.

Fernando Savater[9] lo expresa así:

> Donde el amor se instaura, sobra la ética y deja de tener sentido la virtud. Los objetivos de la virtud, como son conseguir valor, generosidad, humanidad, solidaridad, justicia, etcétera, los logra el amor sin proponérselo siquiera, sin esfuerzo ni disciplina [p. 121].

Recordemos una vez más a Spinoza[10] cuando dice que *no amamos una cosa o a alguien porque sea amable, sino que la consideramos amable (valiosa) porque la amamos.* El amor está primero, el amor otorga el valor, el amor agápico desplaza la moral, es decir, necesitamos la moral porque no sabemos amar. Ésa es la relación entre amor y ética.

Lo anterior no implica que en ocasiones podamos tener ataques de egoísmo, pero si hay amor, jamás lo haremos a mansalva y afectando la dignidad de la persona amada. El amor nos cuida, para que podamos cuidar.

Un ejemplo simple, pero contrastante: marido y mujer pelean vehementemente en un restaurante porque ninguno quiere pagar la cuenta, mientras que en la mesa de al lado, otra pareja discute por la razón opuesta: cada uno quiere invitar al otro. Otro caso: hay una sola computadora en la casa y él posterga su trabajo para más tarde porque sabe que ella debe levantarse muy temprano para ir a trabajar. ¿Mucho esfuerzo? El amor lo aliviana. No se sufre por la entrega, no hay capitulación, sólo dicha. No hay contabilidades ni cuentas por cobrar, nadie reclama el hándicap, es la amnesia de los enamorados.

Insisto: no intento hacer una apología del mito de la incondicionalidad afectiva (sin duda, donde más desertores he visto es en el tema del amor) o exaltar algún tipo de altruismo relamido. Lo que sostengo es que cuando el amor se da con madurez, el proceso afectivo se hace más cómodo, los sacrificios dejan de serlo y la generosidad desplaza al ego. El amor deja de doler, el sufrimiento adquiere un significado más próximo a la compasión. Octavio Paz[11] cuenta que Unamuno, ya viejo, decía: "No siento nada cuando rozo las piernas de mi mujer, pero me duelen las mías si a ella le duelen las suyas". Eso es *ágape*.

"El amor conlleva su propia disciplina", que en realidad no es disciplina, sino "virtud afectuosa". *Cuando el ágape me lleva de la mano, la dulzura no tarda en llegar, y es tan fácil quererte bien y tan sencillo acariciarte.*

Para no hacer sufrir

- Puedes crear las condiciones para que *ágape* se fortalezca. Hazte las siguientes preguntas: "¿Qué espera mi pareja de mí?", "¿Cuáles son sus necesidades?", "¿Puedo hacerle la vida más fácil y agradable?". No subestimes sus preocupaciones, no juzgues su sufrimiento: abre tu mente y escúchala. ¿O acaso crees que tus problemas son más "importantes" y "racionales"? Descéntrate, no eres el centro del universo, afortunadamente. Métete en su mundo, esculca su ser, no como lo hacen los obsesivos o los desconfiados, sino con la serenidad que confiere *ágape*. Recuerda: ponerte en su lugar no es "fusionarte" hasta perder tu esencia. Es compartir, partir en dos el dolor, dos individualidades.

- Retira aquellas exigencias que no sean vitales. No esperes a mañana, hazlo ya. Si verdaderamente amas a tu pareja, aprovecha cada minuto. Recuerdo el caso de un señor que sólo cambió su estilo violento cuando supo que su mujer tenía cáncer. La culpa lo hizo pasar de la insensibilidad total a la atención permanente. Sin embargo, nunca pudo sentirse tranquilo, nunca se perdonó a sí mismo. Cuando su esposa finalmente falleció, los remordimientos aumentaron en vez de decrecer. Todavía lo lamenta. Es verdad que cuidó de su esposa, pero su motivación obedecía a la necesidad de aliviar los sentimientos de culpa y no al altruismo desinteresado que caracteriza el *ágape*. Llegó tarde.

- El egoísta siempre sufre. Por un lado vive pendiente de que no le quiten la mejor tajada, y eso cansa. Y, por otra parte, su actitud genera rechazo social, por lo que suele terminar sus días en la más absoluta soledad. El gran problema del egoísta es que no puede pasar desapercibido: el avaro se nota, salta a la vista. Trata de pensar en los otros un día entero, sin involucrar el yo; verás lo difícil que es. La cultura nos ha enseñado a ser buenos receptores pero malos dadores y, aunque no lo creas, dar puede resultar tan placentero como recibir.

- Recuerda que *ágape* no implica ir en contra de tu dignidad. De lo que se trata es de que seas capaz de desprenderte de algunos privilegios, si eso le hace bien a tu pareja. No me refiero a la buena acción de los niños exploradores ni a que negocies con tus principios, sino a que seas capaz de renunciar a cosas cuando haya que hacerlo, que aprendas a perder. Si lo piensas bien, ¿qué cosas son realmente imprescindibles en tu vida? Supongamos que la persona que amas tuviera una extraña enfermedad y sólo pudiera curarse si entregaras todo lo que tienes: bienes, fama, poder, posición, absolutamente todo. ¿Lo harías? Si tu respuesta es "no", tu relación carece de *ágape*, quizás estés con la persona equivocada o sencillamente el amor se acabó (conozco hombres que preferirían enviudar a quebrar económicamente). Si tu respuesta es un rotundo "sí", tu relación está bien encaminada: *ágape* está vivo.
- La mayoría de la gente que pasa por situaciones extremas, como por ejemplo un secuestro, una enfermedad terminal, la muerte de un hijo o el exilio forzoso, sólo para poner algunos casos, descubren que la posición social, el prestigio o el poder económico no son tan importantes como creían. Pura ilusión que se desvanece. ¿Necesitas una situación límite para darte cuenta de lo que tienes, del *ágape* que te falta? Si el dolor de tu pareja no te llega, estás fuera del amor.
- No olvides que *ágape* es ternura. El amor agápico rescata el lenguaje natural del amor. Tú ya lo tienes incorporado,

dispones de él porque es producto de millones de años de evolución. No necesitas tomar un curso para abrazar y complacer a la persona amada (o eso espero, por el bien de tu pareja). Quizás el miedo o la vergüenza te frenen, pero el miedo se vence enfrentándolo, sufriendo un poco, positivamente, por amor.

• Genera a tu alrededor una lluvia de afecto entre las personas que amas. Sin distinción ni condiciones, muéstrales lo que sientes por ellas. ¿Cómo podría existir y sobrevivir *ágape* sin la expresión de afecto? Deja que el afecto brote y se exprese con libertad, ¿qué puedes perder? ¿Te sientes ridículo expresando afecto? Siento contradecirte, pero te ves mucho más trivial en el papel de hipercontrolado juicioso. Es más tragicómica la constipación que la euforia. ¿O prefieres esperar a que tu pareja busque afuera lo que no tiene en casa?

9. El dolor que nos une

Es un hecho que el dolor se dispara con mayor facilidad y persiste por más tiempo que el placer; los seres humanos somos especialmente sensibles al sufrimiento. Placer y dolor: cara y cruz de la existencia. El dolor nos empuja hacia dentro y nos aísla del mundo, mientras que el placer nos expande hacia fuera y nos vuelve indolentes. Un enamorado entregado plenamente al goce del amor es poco menos que un ente abstracto (el Nirvana adormece), pero ante la posibilidad de perder a su amada, el mismo individuo saltaría como un resorte e intentaría restaurar el control afectivo.

Por ejemplo, si llegaras de un viaje corto y descubrieras que tu pareja no te ha extrañado, es probable que te preocupes e interpretes su comportamiento como "sospechoso" de desamor. Pero si por el contrario, la encontraras al borde de un colapso nervioso, angustiada y con síntomas depresivos debido a tu ausencia, confirmarías que sí te ama. Obviamente te interesarías por su salud, pero en tu interior, en lo más profundo y oscuro de tu conciencia, una mezcla de orgullo y tranquilidad te haría sentir bien: "¡Cuánto me ama!". Asociamos el amor al dolor, ésa es la verdad.

Teilhard de Chardin[12] afirmaba que existe una ley natural que dice que todo éxito se paga con un gran porcentaje de fracasos: crecer es sufrir, irremediablemente. Para Kant,[13] el dolor es una especie de bendición que nos salva del orgasmo letal que tendría lugar si el impulso irrefrenable del placer siguiera indefinidamente su curso. Dicho de otro modo: el dolor como "bendición" que se intercala entre un deleite y otro para que no muramos de la dicha y evitemos la "indolencia" del hombre feliz. Prohibido ser feliz. Jalil Gibrán,[14] en un sentido similar pero más poético, decía que la tristeza no es más que un muro entre dos jardines.

Sea como sea, el placer nos acuna y el dolor nos aguijonea. No importa el sentido que le demos, la naturaleza nos cuida: cuando algo nos genera sufrimiento, todo el organismo se dispone a eliminar su causa. Lo curioso es que a veces el dolor ajeno nos duele tanto o más que el propio: un sufrimiento profundo, inexplicable desde la biología. Es la necesidad imperiosa de ponerse en el lugar del ser amado cuando sufre.

Recuerdo el caso de un adolescente a quien le habían secuestrado a su anciano padre y les propuso a los secuestradores intercambiarse por él, ya que el hombre estaba enfermo. Una vez hecho el intercambio, el joven duró un año en cautiverio. Cuando finalmente lo soltaron, me contó que durante su confinamiento, en los momentos de mayor desesperación, un solo pensamiento lo mantuvo en pie: "De estar aquí, mi papá ya estaría muerto". No era valentía ni audacia, sólo *ágape* en estado puro. El amor guía el sistema de valores y lo reafirma, lo absorbe. ¿Qué otra motivación fuera del amor podría haber tenido aquel joven? El valor de la benevolencia (*ágape*): preservar y reforzar el bienestar de las personas cercanas, amadas.[15]

Las reglas de oro de la convivencia

Si quisiéramos establecer una regla universal de convivencia que nos permitiera vivir en pareja y en sociedad de manera constructiva,

¿qué deberíamos ponderar más: la evitación del dolor o la administración del placer? Algunos dirán que ambas son primordiales, y estamos de acuerdo, pero si solamente pudieras seleccionar una de las dos opciones, ¿cuál elegirías? ¿Qué sería más importante para tu convivencia de pareja: generar placer o evitar el dolor? Ya vimos que el intercambio de reforzadores es determinante para *philia* y el placer es imprescindible para *eros*, pero ¿de qué manera el dolor se relaciona con el *ágape*?

El dolor tiene un lenguaje más categórico y absolutista que el placer. Si alguien con dolor de muelas se encuentra con otra persona en igual condición, la identificación será inmediata: "¡Esto es horrible!", dirá uno y con seguridad el otro asentirá con vehemencia; el acuerdo será total. Pero si tuvieran que hablar de sus respectivos orgasmos o de su plato preferido, la coincidencia dejaría de ser tan precisa. La descripción mostraría cierta variabilidad tanto en la parte operativa como subjetiva. Nos parecemos más en el dolor que en el placer. La mayoría de las personas soportarían más fácilmente la ausencia del placer que la presencia del dolor: *lo primero deprime, lo segundo enloquece.*

Veamos algunas de las máximas de convivencia ("reglas de oro") más relevantes y pensemos cuál de ellas se acomodaría mejor a nuestra vida afectiva.

1. La madre de todas las reglas: "Ama a tu prójimo como a ti mismo". Se le atribuye primero a Moisés (Levítico 19:18) y luego a Jesús (Lucas 10:27). Su mandato es claro: dar la misma importancia a los intereses de otros que a los propios; ponernos en los zapatos de los demás y usarlos. ¿Es posible obtener semejante amor? ¿Eres capaz de no sólo amar a tus hijos sino a todos los hijos del mundo? Muy difícil, aunque vale la pena intentarlo. Pese a su complejidad,

"amar al prójimo como a nosotros mismos" nos permite entrelazar el amor a los otros con el amor propio. *Amarte como me amo es aceptar que hay un "yo", es reconocerme como un ser legítimo que merece ágape y lo otorga.*

2. Otra formulación cristiana es la que aparece en el Nuevo Testamento (Mateo 7:12): "Tratemos a los demás como nos gustaría que nos trataran". Aparentemente la premisa no tiene objeciones. Sin embargo, tiene un "pero". George Bernard Shaw, citado por Savater,[16] lo señaló claramente: "No siempre hagas a los demás lo que desees que te hagan a ti: ellos pueden tener gustos diferentes". Y es verdad. Sería absurdo regalarle a mi esposa en el día de su cumpleaños una caja de herramientas, porque eso es lo que me gustaría que ella me regalara. *No puedo acariciarte como desearía que me acariciaras, sin correr el riesgo de incomodarte; ni puedo amarte exactamente como yo quisiera que me amaras, porque sería desconocer tus preferencias. En definitiva: no puedo suponer que necesitas las mismas cosas que yo.*

3. Rousseau[17] señala que la anterior regla es una "máxima sublime de justicia". Sin embargo, propone en su lugar "otra máxima de bondad natural, mucho menos perfecta, pero más útil". Yo agregaría: más razonable y con menos riesgos potenciales: "Haz el bien con el menor daño posible al prójimo". Aquí ya es tenido en cuenta el dolor del otro, la ineludible realidad de su capacidad de sufrir. *Si te amo de verdad, mi primera meta, mi primer objetivo afectivo, será no hacerte sufrir. Ésa es la condición esencial para que el amor florezca. Procurar tu bienestar sin molestias, al menos intentarlo seriamente. Ponerme en tu lugar, o mejor, en tu dolor, y desde allí amarte, no como un extraño o como un extranjero, sino como parte esencial de mi vida.*

4. Voltaire[18] nos sugiere otra opción para empezar a construir y cimentar cualquier vínculo social: "No hagas a los demás lo que no quieres que te hagan". Darwin[19] llegó a la misma "regla de oro" partiendo del instinto social. Así se desarrolla *ágape*: empezar por la no violencia, por la retirada del poder, por el respeto, por el dolor que nos une. *No te haré nada que no quisiera que me hicieras. Daré un paso atrás, un paso amable, para luego avanzar sobre lo positivo. Después ensayaré tus gustos, pero sólo cuando tenga claros tus disgustos. No puede crecer el amor si no se abona primero la tierra del buen trato. Es muy fácil saber cuáles son tus derechos, basta con mirar los míos.*

La regla de oro que expone Voltaire sobre la tolerancia es la antesala del *ágape*. Lo cual no significa que la norma no pueda ponerse al servicio de un fin antiagápico. Por ejemplo, un ermitaño afectivo (esquizoide) podría utilizar la premisa volteriana y acomodarla a su indiferencia: "Como la idea es que no te haga lo que no me gustaría que me hicieras, entonces he decidido no amarte". Aun así, aunque la patología pueda crear excepciones a la mencionada regla, pienso que en el dolor nos vemos más identificados los unos con los otros. No te haré sufrir ni me harás sufrir, ése es el trato para que *ágape* sea motivo de felicidad.

La compasión

Compasión significa compartir el dolor, identificarse con el sufrimiento ajeno, hacerlo propio. Pasión como acto de padecer: partir el dolor en dos. No sólo es meterme en tus zapatos, sino usarlos, andar con ellos aunque no sean de mi número.

Esto no quiere decir que debamos aceptar los motivos del que sufre, más bien se trata de una reacción afectiva que se rehúsa a ser indiferente o insensible. La aceptación amorosa del sufrimiento no requiere tanta explicación. De acuerdo con Buda en una de sus parábolas,[20] es como si hirieran a alguien con una flecha envenenada y el sujeto herido no se dejara extraer la flecha hasta no saber con certeza quién le disparó, a qué casta de guerreros pertenecía el agresor o cuál era su linaje. Obviamente moriría antes de obtener las repuestas. El sufrimiento humano siempre es urgente y perentorio para quien lo padece y muchas veces "pensar correctamente" cuando el dolor está en su apogeo es imposible o incluso poco adaptativo. Respetar el dolor ajeno e identificarse con él tampoco significa que debamos quedarnos de brazos cruzados o llorando junto a la víctima; no se trata de sumar más sufrimiento al sufrimiento, sino de intervenir desde *ágape*.

La compasión, entonces, es más afectiva que cognitiva, más visceral que pensante. Schopenhauer[21] se refería a la piedad como una "virtud afectiva", el amor puro y destinado al prójimo; y Rousseau[22] decía que "la piedad es un sentimiento natural que, al moderar en cada individuo la actividad del amor a sí mismo, concurre en la conversación mutua de todas las especies". Una pizca de razón y mucho afecto, de eso se trata.

Por eso la compasión, al igual que el amor, no se obliga. El altruismo que surge de la imposición es enclenque y mentiroso, además no puede generalizarse ni alcanzar el nivel de la "gran compasión" (*ágape*) a la que se refieren los budistas.[23] La compasión es la energía básica de la cual se nutre el altruismo, es decir, *la capacidad de ayudar a los demás (pareja incluida) sin otro motivo que querer hacer el bien, despojado de todo interés o intención de beneficiarse.*[24]

Simpatía (de origen griego) y *compasión* (de origen latino) pueden ser vistas como sinónimos. Es la ética del amor, el *ágape* que se contrapone a la crueldad e impide que el egoísmo eche raíces. Egoísmo: "Poner el propio bien, interés o provecho por encima de los demás".[25] Indiferencia: desconocer las necesidades del otro, despreocupación esencial. Veamos dos ejemplos.

La secretaria de un amigo invitó al chofer de su patrón a comer un helado a la hora de la comida. Éste aceptó gustoso y le propuso un sitio cercano. El problema surgió cuando ella fue a pagar, ya que los helados eran importados y supremamente costosos. La mujer se quedó sin un peso y tuvo que pedir dinero prestado para poder pagar. Cuando se le preguntó al hombre por qué había elegido un lugar tan caro, soltó la carcajada y dijo que como recibía tan pocas invitaciones, "tenía que aprovechar". Alguien le reprochó su conducta por abusiva, y su respuesta fue lapidaria: "El problema es de ella: ¡quién le manda ser tan boba!". Es decir, la culpa no era de él, sino de la secretaria que se "había dejado".

De acuerdo con esta manera de pensar, no hay abusadores sino "torpes abusados", ni hay explotadores sino "débiles explotados". La responsabilidad del daño no es tanto del depredador como de la *fragilidad de la víctima*. En otras palabras: "¡Me aprovecho de los demás porque se lo merecen!".

Los psicólogos llamamos a esta forma de lidiar con la vida, en la que el más fuerte (o el más "vivo") se impone al más débil (o al más "ingenuo"), *personalidad antisocial*. La ley de la selva y la supervivencia del más apto, el ojo por ojo, la imposición de la fuerza como forma de vida: sobrevivir más que convivir.

En cierta ocasión un señor asistió a mi consulta para que lo ayudara en su relación de pareja, porque según él su mujer "se le había salido de las manos". En realidad pretendía que yo hablara con la esposa para convencerla de que se sometiera a sus exigencias: "Usted es varón, doctor, y me entiende... Si ella ve que un profesional me apoya, va a cambiar de opinión". La cuestión giraba alrededor de los celos del señor y su consecuente conducta agresiva. Pero lo que más me llamó la atención fueron los argumentos con los cuales el hombre trató de justificar el castigo que le propinaba a la mujer:

PACIENTE: La culpa la tiene ella... ¡Si me ve furioso para qué me incita, para qué me torea!

TERAPEUTA: ¿De qué manera lo "incita" o lo provoca?

PACIENTE: ¡Me contesta cuando la regaño! ¡Me agrede verbalmente!

TERAPEUTA: Bueno, es de esperar... Usted me dijo que cuando se ofusca la trata de prostituta y a veces le pega... ¿No le parece lógico que ella reaccione?... ¿O usted esperaba que ella no se defendiera?

PACIENTE: ¡Eso! ¡Usted dio en el clavo!... Es cuestión de inteligencia... Nadie discute con un borracho o con un loco.

TERAPEUTA: Pero por lo que entendí, usted no es alcohólico ni tiene problemas mentales, al menos eso parece.

PACIENTE: Pero en esos momentos me transformo... Cuando veo que la miran o que ella empieza a coquetear, pierdo el control. ¡Es ella la que me empuja a los celos con su manera de caminar y de mirar a los demás hombres!

TERAPEUTA: ¿Ha intentado utilizar métodos menos drásticos y más respetuosos? Si realmente su esposa fuera tan coqueta como dice, ¿no sería mejor hablar sobre el asunto en vez utilizar la violencia?

PACIENTE: ¡Por favor! ¡Después de veinte años de casados ya debería haberse acostumbrado!... Además, no es para tanto... No vaya creer que soy un salvaje y que la lastimo de verdad... Ya se lo he dicho a ella: "¡Si tuvieras un marido de esos golpeadores de verdad, sí sabrías lo que es vivir mal!"... Vea, doctor, yo soy un buen hombre, soy responsable, trabajador, adoro a mis hijos y a ella no le falta nada, la tengo como a una reina.

TERAPEUTA: Quizá todo eso no sea suficiente, quizás ella necesite otras cosas distintas.

PACIENTE: ¿Como qué?

TERAPEUTA: Delicadeza, comunicación, respeto, ¿qué opina de eso?

La posición de mi paciente estaba muy lejos de una concepción agápica del amor. En primer lugar, no era capaz de descentrarse y ponerse en el lugar de su mujer, ya que su manera de procesar la información era marcadamente egocéntrica. En segundo lugar, no se sentía responsable del maltrato porque consideraba que ella lo provocaba. Y, finalmente, pensaba que su esposa era poco inteligente, puesto que no había desarrollado la tolerancia suficiente al dolor para soportar el maltrato. A la segunda sesión, cuando comprendió que yo no iba a ser su aliado, no regresó.

Para la mentalidad psicopática, el atropello siempre está justificado. Por ejemplo, muchos violadores aseguran que son víctimas de las mujeres bonitas y sensuales, porque ellas los impulsan a comportarse de ese modo. Fundamentar el abuso en supuestos atenuantes es confundir la explicación con la justificación. El término *explicar* se refiere a los factores causales que desencadenan un fenómeno determinado, mientras que *justificar* implica la fundamentación ética de un comportamiento en relación con determinado código de conducta. Por ejemplo, podríamos *explicar* por qué Hitler desarrolló tanto odio hacia los judíos apelando a cualquier teoría psicológica, pero de ninguna manera eso *justificaría* el holocausto.

El error se disculpa, pero la maldad requiere un proceso mucho más complejo que la simple excusa: el perdón.[26] Perdonar es recordar sin odio, es hacerle el duelo al rencor,[27] por eso tiene que ver con el amor. En la "explicación" no necesito involucrarme emocionalmente, la ciencia me ayuda, pero en la "justificación" asumo una posición personal en la que la ética se mezcla con lo afectivo.

Podría pensarse que un helado no es mucha cosa, pero sí lo es. El monto no define el alcance de la afrenta. El que abusó de un niño no es menos pedofílico que el que abusó de diez. ¿Puede alguien ser "más o menos" ladrón o asesino?: imposible. Algunos valores no admiten puntos medios.

Ágape es la dimensión más elaborada del amor de pareja, aunque requiere de *eros* y *philia* para conformar una relación completa. El afecto se decanta con los años, recalca su esencia, subraya su naturaleza original: *eros* se calma y se transforma en erotismo, *philia* se profundiza y *ágape* toma la rienda.

Para no sufrir ni hacer sufrir

- Niégate a todo tipo de agresión. No conviertas tu relación en un campo de batalla. Puedes crear inmunidad a la violencia en cualquiera de sus formas. Sólo necesitas utilizar tres "no", negarte a tres cosas, pase lo que pase. Puedes escribirlo y firmar con tu pareja el compromiso.

  Me comprometo a:
  * **No** subestimar el dolor de mi pareja (compasión).
  * **No** agredir a mi pareja de ninguna manera, ni aprovecharme de sus debilidades (dulzura, delicadeza).
  * **No** fomentar la indiferencia afectiva, la frialdad, la falta de contacto físico o la ausencia de caricias (expresión de afecto positivo).

- *Ágape* es maternal, por eso el descuido es desamor, no importa la excusa que des. Nada disculpa el abandono afectivo de la persona que amas. Y si crees que eso te convertirá en dependiente, despreocúpate, hay una forma de cuidado que no es codependencia, que va más allá del apego: es el gusto de dar, de hacer el bien a quien amamos. No hablo de sobreprotección, sino de atención amorosa, de vigilancia afectiva y efectiva, para buscar el bienestar del otro. Tampoco digo que tengas que desvelarte como lo hacen los padres aprensivos. Más bien se trata de estar dispuesto y disponible para cuando te necesite la persona que amas. Tu pareja no es tu hijo, es verdad, pero el *ágape* no discrimina tan fino, cuando hay que dar, se da.

- Si sientes que los problemas de la vida diaria te alejan de tu pareja, tu relación está en peligro. En las malas épocas, las buenas relaciones se fortalecen y las disfuncionales se acaban. El dolor compartido puede unirte, más que separarte. Si tienen problemas económicos, luchen juntos. Si los echan del lugar donde viven, busquen otro lugar, duerman en la calle, pero juntos. El sufrimiento es menor si se divide en dos. Y si hay una enfermedad en la familia, que sea motivo de unión, de trabajo en equipo. Cada vez que las dificultades afecten a tu pareja, recuérdale que no está sola, que no eres un desertor o una desertora y que puede contar contigo. Un amor completo no se agota en el placer del sexo, ni en la alegría de que el otro exista, necesita estar listo para el sufrimiento compartido. *Ágape* se reafirma en el dolor que la vida obliga.

Epílogo

A lo largo del presente libro he separado los tres componentes básicos del amor y he profundizado en cada uno de ellos, sin perder de vista que el amor completo y saludable requiere todas las facetas mencionadas. La *pasión*, la *amistad* y la *ternura* conforman un mosaico dinámico de posibilidades que bien armonizadas ayudan a comprender y a vivir el amor sin tanto sufrimiento.

Podríamos decir que cada pareja crea su propio estilo afectivo, según sea el predominio de *eros*, *philia* y *ágape*. Hay parejas más eróticas, más phílicas o más agápicas.

La pregunta que surge es: ¿pueden coexistir las tres dimensiones a la vez, es decir, parejas *eroticophilicoagápicas*? Mi respuesta es un *sí* contundente. Y no estoy hablando de relaciones idealizadas o de las superparejas que sólo existen en la imaginación de los ilusos. A lo que me refiero es a la posibilidad de construir un conjunto afectivo estable en el que los tres complementos básicos del amor estén presentes cumpliendo, al menos, dos condiciones básicas:

- Que ninguna de las tres dimensiones se encuentre por debajo del nivel mínimo de funcionamiento que requiera la pareja.
- Que cada componente pueda activarse cuando la situación y/o la necesidad así lo amerite.

En los comienzos de una relación es posible que la estructura afectiva sea escalonada hacia abajo: mucho *eros*, algo de *philia* y *ágape* en formación:

Con los años, si la relación fue buena, la estructura se invierte sin perder ningún componente: mucho *ágape*, bastante *philia* y erotismo sostenido.

Entonces, dependiendo de distintas variables, como son los ciclos vitales, el tiempo de la relación, la personalidad y las necesidades personales, el estilo afectivo de una pareja estará determinada por las distintas combinaciones de *eros*, *philia* y *ágape*, sean éstas normales o patológicas.

Aunque las posibilidades pueden ser muchas, presentaré algunos ejemplos que reflejan la idea principal que deseo trasmitir.

CASO A. PAREJA FUNCIONAL CON PREDOMINIO DE LA PHILIA

La estructura de esta relación es más phílica (amistosa), aunque también hay un nivel aceptable de *eros* y *ágape*: compañeros afables, relaciones sexuales satisfactorias y un trato interpersonal respetuoso y cariñoso.

Es importante señalar que el predomino de un componente (en este caso, *philia*) no excluye necesariamente los otros dos.

Decir que una pareja es "más amistosa" que erótica o agápica significa que sus puntos de contacto son más fuertes en la *philia* que en el placer sexual (*eros*) o en la compasión (*ágape*), sin que ello implique que la sexualidad y la ternura estén alteradas. Más bien se trata de matices, de tonalidades afectivas que pueden ir cambiando de acuerdo con las situaciones. Por ejemplo: si en el caso A se activara *eros*, la estructura adoptaría una nueva forma, por lo menos mientras dure la pasión:

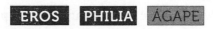

Caso b. Pareja ideal inexistente

Desde un punto de vista teórico, la relación perfecta sería aquella en la que los tres elementos estén igualados por lo alto, todo el tiempo:

EROS   PHILIA   ÁGAPE

Las personas que sueñan con semejante amor viven en permanente frustración, ya que mantener los tres elementos activados todo el tiempo es psicológica y fisiológicamente imposible. Lo cual no significa que en ciertas ocasiones podamos sentir el efecto de un eclipse mágico, fugaz e indescifrable, en el que los tres elementos logren alinearse por lo alto.

Caso c. Pareja disfuncional con un eros insuficiente

Una disminución significativa en uno de los componentes podría hacer que la relación del caso A adopte una estructura disfuncional.

Por ejemplo, si *eros* estuviera poco desarrollado, el esquema sería el siguiente:

Los miembros de esta pareja hipotética serían muy amigos, preocupados cada uno por el bienestar del otro (no violencia, delicadeza en el trato), pero con una sexualidad muy disminuida, en frecuencia y/o calidad. Tal como vimos en los distintos apartados del libro, esta distribución no debe confundirse con aquella que ocurre en las parejas que llevan muchos años de casados, en las que la frecuencia sexual puede verse disminuida pero el erotismo se mantiene vivo pese a todo.

También podría darse el caso en que *eros* estuviera ausente:

PHILIA ÁGAPE

La unión, entonces, estaría sustentada en una típica "relación de amigos" o lo que se conoce como un matrimonio por conveniencia.

Caso d. Pareja disfuncional masoquista

En resumen: podría decirse que cada pareja organiza sus propias posibilidades y predilecciones afectivas tratando de obtener un esquema psicológico-emocional en el que "los tres amores con que amamos" estén presentes. La carencia de cualquiera de ellos nos hará sufrir.

La propuesta es que de manera consciente, racional y realista cada uno busque su propio perfil sin perder ninguno de los tres componentes. Si eres muy afectuoso, tierno y disfrutas de mimar a tu pareja, *ágape* será muy importante para ti. Si eres una persona más bien fogosa, inquieta por experimentar distintas formas de placer y fantasías eróticas, *eros* cobrará peso y relevancia. Y si lo que más te gusta de una relación es encontrar una compañera o un compañero de andanzas, *philia* será la que mande. Reconocer en uno mismo y en el otro los gustos y predilecciones incrementará las posibilidades de que haya un mejor acoplamiento y una comunicación más fluida.

Tal vez ya esté todo dicho en el amor, tal vez no haya nada que agregar ni nada por definir. Quizá lo único que nos quede es hacer **variaciones** sobre el mismo tema, concebirlo, imaginarlo y **reinventarlo para** nosotros mismos, como un juego interminable de **opciones, para** así tratar de obtener la mayor felicidad posible al mínimo costo, sin angustia ni sufrimiento.

Notas bibliográficas

PRIMERA PARTE. EROS O EL AMOR QUE DUELE

1   Platón. (1998). *Simposio o de la erótica*. Bogotá: Panamericana.
2   Paz, O. (1993). *La llama doble*. México: Seix Barral.
3   Jankowiak, W. (1995). *Romantic passion: An universal experience?* Nueva York: Columbia University Press.
4   Ackerman, D. (1994). *Una historia natural del amor*. Barcelona: Anagrama.
5   Platón. (1998). *Diálogos*. Bogotá: Panamericana.
6   Ellis, A. (2000). El amor neurótico: Sus causas y tratamiento. En B. Shawn (Comp.), *Vivir en una sociedad irracional*. Barcelona: Paidós. Véase también: Ellis, A. (1990). Aplicación de la terapia racional-emotiva a los problemas del amor. En A. Ellis y R. Rieger (Eds.), *Manual de terapia racional-emotiva*. Bilbao: DDB. Katz, J. M. (1976). How do you love me? Let me count the ways. *Sociological Inquiry, 46*, 17-22. Tennov, D. (1979). *Love and limerence: The experience of being in love*. Nueva York: Stein & Day. Beck, A. (1998). *Con el amor no basta*. Barcelona: Paidós.
7   Beck, J. S. (1995). *Cognitive therapy: Basics and beyond*. Nueva York: The Guilford Press. Véase también: Singer, L. (1987). *The nature of love*. Chicago: University of Chicago Press.
8   Stendhal (H. Beyle). (1994). *Del amor*. Madrid: Edaf.
9   Brown, E. M. (1991). *Patterns of infidelity and their treatment*. Nueva York: Brunner & Mazel. Véase también: Riso, W. (2012a). *La fidelidad es mucho más que amor*. México: Océano. Kreuz, A. (2000). La infidelidad de la pareja. En J. N. Góngora y J. P. Miragaia (Eds.), *Parejas en situaciones difíciles*. Barcelona: Paidós.
10 Hatfield, E., y Rapson, R. L. (1996). *Love and sex: Cross-cultural perspectives*. Needham Heights, MA: Allyn & Bacon.
11 Riso, W. (2012b). *La afectividad masculina*. México: Océano.
12 Riso, W. (2012c). *Deshojando margaritas*. México: Océano. Véase también: Lazarus, A. A. (1989). *Los mitos maritales*. Buenos Aires: IPPEM.
13 Israeli, A. L., y Stewart, S. H. (2001). Memory bias for forbidden food cues in restrained eaters. *Cognitive Therapy and Research, 25*, 37-49. Véase también: Ingram, R. E., Miranda, J., y Segal, Z. V. (1998). *Cognitive vulnerability to depression*. Nueva York: The Guilford Press.
14 Whisman, M. A., y Delinsky, S. S. (2002). Marital satisfaction and an information-processing measure of partner-schemas. *Cognitive Therapy and Research, 26*, 617-629.

[15] Fromm, E. (1998). *El arte de amar*. Barcelona: Paidós.

[16] Leahy, R. L. (1999). Decision making and mania. *Journal of Cognitive Psychotherapy: An International Quarterly*, *13*, 83-105. Véase también: Leahy, R. L. (2000). Mood and decision-making: Implications for bipolar disorder. *The Behavior Therapist*, *23*, 62-63.

[17] Riso, W. (2012d). *¿Amar o depender?* México: Océano. Véase también: Hughes-Hammer, C., Martsolf, D. S., y Zeller, R. A. (1998). Depression and codependency in women. *Archives of Psychiatric Nursing*, *6*, 326-334. Whiffen, V. E., Kallos-Lilly, V. A., y MacDonald, B. J. (2001). Depression and attachment in couples. *Cognitive Therapy and Research*, *25*, 577-590.

[18] Liebowitz, M. R. (1983). *The chemistry of love*. Boston: Little, Brown & Company. Véase también: Fisher, H. E. (1996). *Anatomía del amor*. Buenos Aires: Emecé.

[19] Reus, V. I. (1996). Trastornos del estado de ánimo. En H. H. Goldman (Ed.), *Psiquiatría general*. México: Manual Moderno. Véase también: Kaplan, H. I., y Sadock, B. J. (1999). *Sinopsis de psiquiatría*. Madrid: Editorial Médica Panamericana.

[20] Stoddart, D. M. (1990). *The scented ape*. Cambridge: Cambridge University Press. Véase también: Corbin, A. (1986). The foul and fragant: Odor and frech social imagination. *American Historical Review*, *92*, 1220-1221.

[21] Fisher, H. (2000). *El primer sexo*. Madrid: Taurus. Véase también: Fisher, H. (1998). Lust, attraction and attachment in mammalian reproduction. *Human Nature*, *9*, 23-52.

[22] Spinoza, B. (1995). *Ética*. Madrid: Alianza Editorial.

[23] García, C., y Guzmán, A. (1995). *Antología de la literatura griega*. Madrid: Alianza Editorial.

[24] Comte-Sponville, A. (2001). *El amor y la soledad*. Barcelona: Paidós.

[25] Sierra, J. C., y Buela-Casal, G. (2001). Evaluación y tratamiento de las disfunciones sexuales. En G. Buela-Casal y J. C. Sierra (Eds.), *Manual de evaluación y tramientos psicológicos*. Madrid: Biblioteca Nueva. Véase también: Crespo, M., Labrador, J. F., y de la Puente, M. L. (1995). Trastornos sexuales. En A. Belloch, B. Sandín y F. Ramos (Eds.), *Manual de psicopatología* (Volumen I). Madrid: McGraw-Hill.

[26] López-Ibor, J., y Valdés, M. (2002). *Manual diagnóstico y estadístico de los trastornos mentales (DSM-IV-TR)*. Barcelona: Masson. Véase también: Martín, A. F. (2000). La coerción y la violencia sexual en pareja. En J. N. Góngora y J. P. Miragaia (Eds.), *Parejas en situaciones difíciles*. Barcelona: Paidós.

[27] Eysenck, H. J. (1979). *Usos y abusos de la pornografía*. Madrid: Alianza Editorial.

[28] Paz, O. (1993). *La llama doble*. Bogotá: Planeta.

[29] Comte-Sponville, A. (2001). *El mito de Ícaro*. Madrid: Machado.

[30] Schopenhauer, A. (2000). *El mundo como voluntad y representación*. México: Porrúa.

[31] Comte-Sponville, A. (1997). *Pequeño tratado de las grandes virtudes*. Barcelona: Andrés Bello.

[32] Krishnamurti, J. (1992). *Temor, dolor y placer*. México: Orión.

[33] Etcoff, N. (2000). *La supervivencia de los más guapos*. Barcelona: Debate. Véase también: Sigal, H., y Ostrove, N. (1975). Beautiful but dangerous: Effects of offender attractiveness and nature of the crime on juridic judgment. *Journal of Personality and Social Psychology*, *31*, 410-414.

[34] Bar-Tal, D., y Saxe, L. (1976). Perceptions of similarity and disimilarity in attractive couples and individuals. *Journal of Personality and Social Psychology*, *33*, 772- 781.

[35] Cunningham, M. R. (1986). Measuring the physical in physical attractiveness: Quasi experiments on the sociobiology of female facial beauty. *Journal of Personality and Social Psychology*, *50*, 925-935.

[36] Luna, I. (2001). Mujer, belleza y psicopatología. *Revista Colombiana de Psiquiatría*, *4*, 383-388. Véase también: Singh, D. (1993). Adaptive significance of female physical attractiveness: Role of waist-to-hip ratio. *Journal of Personality and Social Psychology*, *65*, 293-307.

[37] Kenrick, D. T., Sadalia, E. K., Groth, G. E., y Trost, M. R. (1990). Evolution, traits and the states of human courtship: Qualifying the parental investment model. *Journal of Personality*, *58*, 97-116.

[38] *Ibid*. Véase también: Barber, N. (1993). The evolutionary psychology of physical attractiveness: Sexual selection and human morphology. *Ethology and Sociobiology*, *16*, 395-424.

[39] Ellis, B. J., y Symons, D. (1990). Sex differences in sexual fantasy: An evolutionary psychological approach. *The Journal of Sex Research*, *27*, 527-555. Véase también: Geerm, J. H., y Manguno-Mire, G. M. (1996). Gender differences in cognitive processes in sexuality. *Annual Review of Sex Research*, *7*, 90-124.

[40] Viederman, M. (1988). The nature of passionate love. En W. Gaylin y E. Person (Eds.), *Passionate attachments: Thinking about love*. Nueva York: The Free Press.

[41] Wedekind, C., Seebeck, T., Bettens, F., y Paepke, A. J. (1995). MHC-dependent mate preferences in humans. *Proceedings of the Royal Society of London*, *260*, 245-249.

[42] Durant, W. (1998). *Historia de la filosofía*. México: Diana.

[43] Aleixandre, V. (2000). *Antología personal*. Madrid: Visor.

[44] Rodríguez, F. (1996). *Sociedad, amor y poesía en la Grecia antigua*. Madrid: Alianza Editorial. Véase también: Jaeger, W. (1997). *Paideia*. México: Fondo de Cultura Económica.

[45] Newman, C. F., Leahly, R. L., Beck, A. T., Reilly-Harrington, N. A., y Gyulai, L. (2002). *Bipolar disorder*. Washington: American Psychological Association. Véase también: Power, M. J., Jong, D., y Lloyd, A. (2002). The organization of the self-concept in bipolar disorders: An empirical study and replication. *Cognitive Therapy and Research*, 26, 431-562. Marrazziti, D. (1998). *La natura dell'amore*. Roma: Rizzoli.

[46] Vázquez, C., y Sanz, J. (1995). Trastornos del estado de ánimo: aspectos clínicos. En A. Belloch, B. Sandín y F. Ramos (Eds.), *Manual de psicopatología*. Madrid: McGraw-Hill. Véase también: Redfield, K. (1998). *Marcados a fuego*. México: Fondo de Cultura Económica.

[47] Money, J. (1980). *Love and love sickness: The sciences of sex, gender difference, and pair bonding*. Baltimore: The Johns Hopkins University Press.

[48] Bowlby, J. (1990). *La pérdida afectiva*. Buenos Aires: Paidós. Véase también: Bowlby, J. (1985). *La separación afectiva*. Buenos Aires: Paidós.

[49] Scott, J., Garland, A., y Ferrier, N. (2000). Cognitive vulnerability to bipolar disorder. *Psychological Medicine*, 30, 467-462.

[50] Young, J. E. (1994). *Cognitive therapy for personality disorders: A schema-focused approach*. Sarasota, FL: Professional Resource Press.

[51] Beck, A. T., y Freeman, A. (1995). *Terapia cognitiva de los trastornos de personalidad*. Buenos Aires: Paidós.

[52] Cano-Videl, A., Sirgo, A., y Díaz-Ovejero, M. B. (1999). Control, defensa y expresión de emociones: Relaciones con la salud y la enfermedad. En E. G. Fernández-Abascal y F. Palmero (Coords.), *Emociones y salud*. Barcelona: Ariel.

[53] Kreitler, S., y Kreitler, H. (1990). Repression and the anxiety-defensiveness factor: Psychological correlates and manifestations. *Personality and Individual Differences*, 6, 559-570.

[54] Martínez-Sánchez, F. (1999). La alexitimia, un factor de riesgo para el padecimiento de los efectos patógenos del estrés. En E. G. Fernández-Abascal y F. Palmero (Coords.), *Emociones y salud*. Barcelona: Ariel. Véase también: Páez, D., y Castillo, M. M. (2000). *Cultura y alexitimia*. Buenos Aires: Paidós.

[55] Kreimer, R. (2002). *Artes del buen vivir*. Buenos Aires: Anarrés.

[56] Timmreck, T. C. (1990). Overcoming the loss of a love: Preventing love addiction and promoting positive emotional health. *Psychological Reports*, 2, 515-528.

[57] Peele, S., y Brodsky, A. (1980). *Love and addiction*. Nueva York: New American Library. Véase también: Schaeffer, B. (1998). *¿Es amor o es adicción?* Barcelona: Apóstrofe.

[58] Platón. (1998). *Diálogos*. Bogotá: Panamericana.

[59] White, G. L. (1990). Some correlates of romantic jealousy. *Journal of Personality*, *49*, 129-147.

[60] Smith, R. H., Kim, S. H., y Parrot, W. G. (1988). Envy and jealousy: Semantic problems and experiential distinctions. *Personality and Social Psychology Bulletin*, *14*, 401-409. Véase también: Mathes, E. W., Adams, H. E., y Davies, R. M. (1985). Jealousy: Loss of relationship rewards, loss of self-esteem, depression, anxiety and angers. *Journal of Personality and Social Psychology*, *48*, 1552-1561.

[61] Buunk, B., y Hupka, R. B. (1987). Cross-cultural differences in the elicitation of sexual jealousy. *Journal of Sex Research*, *23*, 12-22.

[62] Buss, D. M. (1996). *La evolución del deseo*. Barcelona: Alianza Editorial.

[63] Kaplan, H. I., y Sadock, B. J. (1999). *Sinopsis de psiquiatría*. Madrid: Editorial Médica Panamericana.

[64] Bergson, H. (1994). *Las dos fuentes de la moral y de la religión.* México: Porrúa.

SEGUNDA PARTE. PHILIA. DE LA MANÍA A LA SIMPATÍA

[1] Tucker, P., y Aron, A. (1993). Passionate love and marital satisfaction at key transition points in the family life cycle. *Journal of Social and Clinical Psychology*, *12*, 135-147.

[2] Udry, J. R. (1980). Changes in the frequency of marital intercourse from panel data. *Archives of Sexual Behavior*, *9*, 319-325.

[3] Aron, A., y Henkemeyer, L. (1995). Marital satisfaction and passionate love. *Journal of Social and Personal Relationships*, *12*, 139-146.

[4] Carter, C. S., Devries, C., Taymans, S. E., Roberts, R. L., Williams, J. R., y Getz, L. L. (1997). Peptides, steroids and pair bonding. *Annals of the New York Academy of Sciences*, *807*, 260-272.

[5] Insel, T. R., Young, L., y Wang, Z. (1997). Molecular aspects of monogamy. *Annals of the New York Academy of Sciences*, *807*, 302-316. Véase también: Morell, V. (1998). A new look at monogamy. *Science*, *281*, 1982-1983.

[6] Liebowitz, M. R. (1983). *The chemistry of love*. Boston: Little, Brown & Company.

[7] Booth, A., y Dabbs, J. M. (1993). Testosterone and men's marriages. *Social Forces*, *2*, 463-477.

[8] Blum, D. (1997). *Sex on the brain: The biological differences between men and women*. Nueva York: Viking.

[9] Macherey, P. (2000). El *Lisis* de Platón: Dilema entre amistad y amor. En S. Jankélévitch y B. Ogilvie, *La amistad.* Barcelona: Idea Books.

[10] Paz, O. (1993). *La llama doble*. Bogotá: Planeta.

[11] Galán, J. E. (1996). *La vida amorosa en Roma*. Madrid: Temas de Hoy.

[12] Grimal, P. (2000). *El amor en la antigua Roma*. Barcelona: Paidós.

[13] Ackerman, D. (1994). *Una historia natural del amor*. Barcelona: Anagrama. Véase también: Díaz-Plaja, F. (1996). *La vida amorosa en el Siglo de Oro*. Madrid: Temas de Hoy.

[14] Winks, R. W. (2000). *Historia de la civilización: de la prehistoria a 1647*. México: Pearson Educación. Véase también: Brom, J. (1972). *Esbozo de historia universal*. México: Grijalbo.

[15] Voltes, P. (1999). *Historia de la estupidez humana*. Madrid: Espasa.

[16] Lipovetsky, G. (1999). *La tercera mujer*. Barcelona: Anagrama.

[17] Flandrin, J.-L. (1984). *La moral sexual en Occidente*. Barcelona: Juan Granica.

[18] Shostak, M. (1981). *Nisa: The life and words of a Kung woman*. Cambridge, MA: Harvard University Press.

[19] Simpson, J. A., Campbell, B., y Berscheid, E. (1986). The association between romantic love and marriage: Kephart (1967) twice revisited. *Personality and Social Bulletin, 12*, 363-372.

[20] Gupta, U., y Singh, P. (1982). An exploratory study of love and liking and type of marriages. *Indian Journal of Applied Psychology, 19*, 92-97.

[21] Riso, W. (2012a) *Sabiduría emocional*. México: Océano.

[22] Derrida, J. (1998). *Políticas de la amistad*. Madrid: Trotta.

[23] Comte-Sponville, A. (2001). *La felicidad, desesperadamente*. Barcelona: Paidós.

[24] Hatfield, E. (1988). Passionate and compassionate love. En R. J. Sternberg y M. I. Barnes (Eds.), *The psychology of love*. New Haven: Yale University Press.

[25] Sternberg, R. J. (1989). *El triángulo del amor*. Buenos Aires: Paidós.

[26] Vernant, J.-P. (2000). Tejer la amistad. En S. Jankélévitch y B. Ogilvie, *La amistad*. Barcelona: Idea Books.

[27] Montaigne, M. (1948). *Ensayos* (Tomo i). Buenos Aires: El Ateneo.

[28] Nietzsche, F. (1968). *Obras inmortales*. Madrid: Edaf.

[29] Platón. (1998). *Lysis o de la amistad*. Bogotá: Panamericana.

[30] Schopenhauer, A. (1998). *El amor, las mujeres y la muerte*. Barcelona: Edicomunicaciones.

[31] Voltaire. (1950). *Diccionario filosófico* (Tomo i). Buenos Aires: Edaf.

[32] Aristóteles. (1998). *Ética nicomáquea. Ética eudemia*. Madrid: Gredos.

[33] Cicerón. (1998). *La amistad*. Madrid: Temas de Hoy.

[34] Rosenbaum, M. E. (1986). The repulsion hypothesis: On the nondevelopment of relationships. *Journal of Personality and Social Psychology, 51*, 1156-1166.

[35] Dryer, D. C., y Horowitz, L. M. (1997). When do opposites attract? Interpersonal

complementarity versus similarity. *Journal of Personality and Social Psychology*, 72, 592-603.

[36] Botwin, M. D., Buss, D. M., y Shackelford, T. K. (1997). Personality and mate preferences: Five factors in mate selection and marital satisfaction. *Journal of Personality*, 65, 107-136.

[37] Sprecher, S., y Duck, S. (1994). Sweet talk: The importance of perceived communication for romantic and friendship attraction experienced during a get-acquainted date. *Personality and Social Psychology Bulletin*, 20, 391-400.

[38] Allinger, G. M., y Williams, N. W. (1991). Affective congruence and the employment interview. *Advances in Information Processing in Organizations*, 4, 31-43.

[39] Eisenman, R. (1985). Marijuana use and attraction: Support for Byrne's similarity-attraction concept. *Perceptual and Motor Skills*, 61, 582-587.

[40] Kandel, D. B. (1978). Similarity in real-life adolescent friendship pairs. *Journal of Personality and Social Psychology*, 36, 306-312.

[41] Rodgers, J. L., Billy, J. O. B., y Udry, J. R. (1984). A model of friendship similarity in mildy deviant behavior. *Journal of Applied Social Psychology*, 14, 413-425.

[42] Smith, E. R., Byrne, D., y Fielding, P. J. (1995). Interpersonal attraction as a function of extreme gender role adherence. *Personal Relationships*, 2, 161-172.

[43] Watts, B. L. (1982). Individual differences in circadian activity rhythms and their effects on roommate relationships. *Journal of Personality*, 50, 374-384.

[44] LaPrelle, J., Hoyle, R. H., Insko, C. A., y Bernhtal, P. (1990). Interpersonal attraction and descriptions of the traits of others: Ideal similarity, self similarity, and liking. *Journal of Research in Personality*, 24, 216-240.

[45] Murstein, B. L. (1986). *Paths to marriage*. Newbury Park, CA: Sage.

[46] Séneca y Cicerón. (2000). *Tratados morales*. Barcelona: Océano. Véase también: Plutarco. (1998). Sobre la abundancia de los amigos. En C. Fernández-Daza (Ed.), *La amistad de Cicerón y textos escogidos de otros autores clásicos*. Madrid: Temas de Hoy.

[47] Myers, D. G. (2000). *Psicología social*. Bogotá: McGraw-Hill. Véase también: Carrasco, M. J., Llavona, L., y Carrasco, I. (1988). Disfunción sexual y otros trastornos de las parejas. En J. Mayor y F. J. Labrador (Dirs.), *Manual de modificación de conducta*. Madrid: Alhambra.

[48] Capafons, J. I., y Sosa, C. D. (1998). Un programa estructurado para el tratamiento de los problemas de pareja. En V. E. Caballo (dir.), *Manual para el tratamiento cognitivo-conductual de los trastornos psicológicos*. Madrid: Siglo XXI. Véase también: Stuart, R. B. (1980). *Helping couples change: A social learning approach to marital therapy*. Nueva York: The Guilford Press. Riso, W. (2012b). *Deshojando margaritas*. México: Océano.

[49] Hatfield, E., Walster, G. W., y Berscheid, E. (1978). *Equity: Theory and research.* Boston: Allyn & Bacon.

[50] Clark, M. S., Mills, J. R., y Corcoran, D. M. (1989). Keeping track of needs and input of friends and strangers. *Personality and Social Psychology Bulletin, 15,* 533-542. Véase también: Buunk, B. P., y Van Yperen, N. W. (1991). Referential comparisons, relational comparisons and exchange orientation: Their relation to marital satisfaction. *Personality and Social Psychology Bulletin, 17,* 709-717.

[51] Riso, W. (2012c). *Cuestión de dignidad.* México: Océano.

[52] Van Yperen, N. W., y Buunk, B. P. (1990). A longitudinal study of equity and satisfaction in intimate relationships. *European Journal of Social Psychology, 17,* 16-30. Véase también: Schafer, R. B., y Keith, P. M. (1980). Equity and depression among married couples. *Social Psychology Quarterly, 43,* 430-435.

[53] Johnson, M. P., Huston, T. I., Gaines, S. O., y Levinger, G. (1992). Patterns of married life among young couples. *Journal of Social and Personal Relationships, 9,* 343-364.

[54] Riso, W. (2012d). *La fidelidad es mucho más que amor.* México: Océano.

[55] McGuire, W. J. (1985). Attitudes and attitude change. En G. Lindzey y E. Aronson (Eds.), *The handbook of social psychology.* Nueva York: Random House.

[56] Hazan, C., y Shaver, P. R. (1994). Attachment as an organizational framework for research in close relationships. *Psychological Inquiry, 5,* 1-22.

[57] Shulman, S., Elicker, J., y Sroufe, L. A. (1994). Stages of friendship growth in preadolescence as related to attachment history. *Journal of Social Personal Relationships, 11,* 341-361. Véase también: Klohnen, E. C., y Bera, S. (1998). Behavioral and experiential patterns of avoidantly and securely attached women across adulthood: A 31-year longitudinal perspective. *Journal of Personality and Social Psychology, 74,* 211- 223. Bringle, R. G., y Bagby, G. J. (1992). Self-esteem and perceived quality of romantic and family relationships in young adults. *Journal of Research in Personality, 26,* 340-356.

[58] Shaver, P. R., y Hazan, C. (1994). Attachment. En A. L. Weber y J. H. Harvey (Eds.), *Perspectives on close relationships.* Boston: Allyn & Bacon.

[59] Bowlby, J. (1990). *La pérdida afectiva.* Buenos Aires: Paidós. Véase también: Bowlby, J. (1985). *La separación afectiva.* Buenos Aires: Paidós.

[60] Hazan, C., y Shaver, P. R. (1990). Love and work: An attachment-theoretical perspective. *Journal of Personality and Social Psychology, 59,* 270-280.

[61] Mickelson, K. D., Kessler, R. C., y Shaver, P. R. (1997). Adult attachment in a nationally representative sample. *Journal of Personality and Social Psychology, 73,* 1092-1106. Véase también: Hazan, C., y Shaver, P. (1987). Romantic love

conceptualized as an attachment process. *Journal of Personality and Social Psychology*, *52*, 511-524.

[62] Feeney, J. A. (1996). Attachment, caregiving, and marital satisfaction. *Personal Relationships*, *3*, 401-416.

[63] Bartholomew, K. (1990). Avoidance of intimacy: An attachment perspective. *Journal of Social and Personal Relationships*, *7*, 147-178.

[64] Simpson, J. A., Rholes, W. S., y Phillips, D. (1996). Conflict in close relationships: An attachment perspective. *Journal of Personality and Social Psychology*, *71*, 899-914.

TERCERA PARTE. ÁGAPE. DE LA SIMPATÍA A LA COMPASIÓN

[1] Comte-Sponville, A. (1997). *Pequeño tratado de las grandes virtudes*. Barcelona: Andrés Bello.

[2] Weil, S. (2000). *A la espera de Dios*. Madrid: Trotta.

[3] Borges, J. L. (1999). *Obra poética, 3*. Madrid: Alianza Editorial.

[4] Guitton, J. (2002). *Sabiduría cotidiana*. Buenos Aires: Sudamericana.

[5] Dalái Lama. (2001). *La meditación paso a paso*. Barcelona: Grijalbo. Véase también: Trungpa, C. (1992). *El materialismo espiritual*. Bogotá: Shambhala Publications.

[6] Weil, S. (1998). *La gravedad y la gracia*. Madrid: Trotta.

[7] Migal, M. (1998). *Poesía mística*. Madrid: Edimat.

[8] Krishnamurti, J. (1991). *La totalidad de la vida*. México: Hermes.

[9] Savater, F. (1998). *Invitación a la ética*. Barcelona: Anagrama.

[10] Spinoza, B. (1995). *Ética*. Madrid: Alianza Editorial.

[11] Paz, O. (1993). *La llama doble*. Bogotá: Planeta.

[12] Teilhard de Chardin, P. (1967). *La energía humana*. Madrid: Taurus. Véase también: King, U. (2001). *Pierre Teilhard de Chardin: Escritos esenciales*. Bilbao: Sal Terrae.

[13] Ocaña, E. (1997). *Sobre el dolor*. Valencia: Pre-Textos.

[14] Gibrán, J. G. (1985). *El jardín del profeta. Arena y espuma*. Madrid: Edaf.

[15] Ros, M. (2001). Valores, actitudes y comportamiento: Una nueva visita a un tema clásico. En M. Ros y V. V. Gouveia (Coords.), *Psicología social de los valores humanos*. Madrid: Biblioteca Nueva.

[16] Savater, F. (2002). *Ética para Amador*. Bogotá: Planeta.

[17] Rousseau, J. J. (1999). *Discurso sobre el origen de la desigualdad entre los hombres*. México: Edivisión.

[18] Voltaire. (1999). *Tratado de la intolerancia*. Barcelona: Crítica.

[19] Darwin, C. (1987). *El origen del hombre*. Madrid: Espasa-Calpe.

[20] Calle, R. A. (1991). *Las parábolas de Buda y Jesús: Su significado iniciático*. Madrid: Heptada.

[21] Schopenhauer, A. (2000). *El mundo como voluntad y representación*. México: Porrúa.

[22] Rousseau, J. J. (1999). *Discurso sobre el origen de la desigualdad entre los hombres*. México: Edivisión.

[23] Dalái Lama. (2000). *El arte de vivir en el nuevo milenio*. Barcelona: Grijalbo.

[24] Fuentes, M. J., Ortiz, M. J., Flórez, F., y Etxebarría, I. (1999). Altruismo y conducta prosocial: Concepto y teorías. En E. Pérez-Delgado y V. Mestre Escrivá (Coords.), *Psicología moral y crecimiento personal*. Barcelona: Ariel.

[25] Baier, K. (1995). El egoísmo. En P. Singer (Ed.), *Compendio de ética*. Madrid: Alianza Editorial.

[26] Jankélévitch, V. (1999). *El perdón*. Barcelona: Seix Barral.

[27] Wiesenthal, S. (1998). *Los límites del perdón*. Barcelona: Paidós.

Esta obra se imprimió y encuadernó
en el mes de octubre de 2012,
en Drokerz Impresiones de México, S.A. de C.V.
que se localizan en la calle Venado No. 104, Col. Los Olivos,
CP 13210, Del. Tláhuac, México, D.F.